최근 4차 산업혁명 등 천지가 개벽하는 변화 앞에서 경영학의 중요 주제 중 하나인 전략의 필요성이 커지고 있다. 전략은 위기와 맞서 싸우는 가장 강력한 무기이자 나아갈 방향을 제시하는 나침반이자 미래의 구체적 설계도이기 때문이다. 하지만 프로페셔널한 전략 전문가들을 만나기는 쉽지 않았다. 그러던 중 마침 이 책이 나와서 반갑고 무척 다행이라 생각한다.
이 책은 우선 현재의 위기 상황을 진단하고 불확실성을 없앤다. 그리고 왜 다시 전략에 초점을 맞추어야 하는가를 쉽게 설명하고 있다. 다양한 직무의 사람, 특히 그동안 전략이라는 주제에서 동떨어져 살았던 사람들까지도 쉽게 읽을 수 있게 쓰였다. 누구나 당장 적용할 수 있는 포인트를 얻을 수 있다. 저자는 뉴욕 주립대학에서 전략 전공으로 박사학위를 받고 대학과 IGM에서 이론을 가르치기도 했지만 삼성과 세계적 컨설팅 펌인 머서Mercer 등의 기업 현장에서 다년간 일을 했다. 정통 이론과 풍부한 현장 경험이 담긴 탁월한 전략서이다.
–전성철, IGM 세계경영연구원 회장

저자인 양백 부원장은 경영의 각 분야에서 경력을 쌓은 경영컨설턴트이다. 내가 몸담고 있는 미래에셋그룹도 여러 통로를 통해 도움을 주고 있다. 이번에 그간 쌓은 본인만의 탁월한 암묵지를 모았다. 세상에 그의 경험을 전파하고 이로움을 주기 위한 작은 노력이라 이야기한다. 4차 산업혁명의 빠른 변화와 불확실성이 고조되는 최근의 경영환경에서 기업이 어떻게 행동해야 하는지 알려준다. 그가 권한 3S 전략 수립 프로세스가 이채롭다. 이른바 뷰카VUCA 시대의 모든 경영자가 곁에 두고 자주 참고하며 올바른 전략적 선택을 할 수 있도록 돕는 훌륭한 경영 지침서가 되리라 생각한다.
–최현만, 미래에셋 수석부회장

혹자는 용장勇將, 지장智將, 덕장德將, 그리고 운장運將의 순서로 리더십의 정수를 표현한다. 운은 하늘이 내리는 것이요, 덕德은 평생을 쌓아야 한다. 그나마 인간의 힘에 좌우되는 영역은 용기와 지혜다. 용장 너머 지장으로 도약하려면 역시 지혜로 무장해야 한다. 이 책은 전략의 기초부터 다양한 전략들의 장단점 그리고 그 전략의 실제 적용법을 차근차근 설명해준다. 그래서 슬기롭고 지혜로운 전략을 선택하고 세우게 한다. 단지 이론에만 머무르지 않는다. 전략을 통해 승리를 이끌어낸 생생한 사례들은 그 자체로 흥미롭다. 전략가의 눈, 전략가의 촉, 전략가의 냉철한 지성, 그리고 빠르고 집요한 실행, 왜 CEO와 리더는 최고전략 책임자가 돼야 하는지를 알려준다. 전략 수립의 전체 과정을 매우 자상하게 안내해 주고 있으며 각 요소와 프로세스별로 반드시 점검하고 알아야 할 실전 팁이 가득

한 실행서이다. 일독을 강추한다.

-윤순봉, 삼성경제연구소 사장

4차 산업혁명이란 경영환경의 지각변동이 다가오고 있다. 급격한 환경변화에 대한 대응은 미세조정이 아니라 획기적 경영전략의 창출이다. 이런 점에서 저자의 "다시 문제는 전략이다."라는 선언은 지극히 합당하다. 양백 박사의 이번 저서는 이런 의미에서 매우 시의 적절한 경영의 지침서가 될 수 있다. 4차 산업혁명이란 변화는 기업에 큰 위기가 되기도 하고 큰 기회가 되기도 한다. 어떻게 이러한 시대를 뚫고 미래를 향해 나갈 것인가? 그 답은 전략에 있다. 예리하고 날카로운 전략 수립과 실행으로 돌파해나가야 한다. 이 책은 미래를 뚫고 나가는 데 필요한 전략도구들을 자세히 알려주고 그 활용법을 실용적으로 제시해준다. 창의적으로 기존 전략도구 간의 융합 사용법까지 다룬다.

-전용욱, (전)한국경영학회 회장 (현)숙명여대 글로벌사회교육원 원장 (전)세종대 부총장

오늘날과 같은 4차 산업혁명 시대 기업 경영에서 최고로 중요한 것은 바로 전략적 행동과 사고이다. 잘 만들어진 전략이 기업의 생존은 물론 미래까지 결정함은 주지의 사실이다. 전략의 중요성은 아무리 강조해도 지나치지 않다. 포브스 500대 기업의 CEO들 역시 그들의 가장 많은 시간을 전략 수립에 사용한다. 이 책은 탄탄한 이론과 수많은 현장 비즈니스를 경험하고 조언한 컨설턴트의 경험이 녹아 있는 최고의 실전 전략사용설명서이다. 외부 전문가의 도움을 굳이 받지 않고 회사 내부의 임직원만으로 전략을 구상하기에 매우 적합한 가이던스가 되리라 생각한다.

-이상철, LG유플러스 고문

이 책은 바로 그 위대한 전략가가 되는 길을 제시한다. 더 전략적으로 시장을 읽고 더 전략적으로 생각하고 더 효율적으로 전술을 짜고 빠르게 반드시 수행해내는 법에 대해 체계적으로 알려준다. 모 그룹의 최고 전략가로서 일한 경험으로 감히 말하자면 재빠르게 환경을 읽고 거기에 적합한 최적의 해법을 구하기 위해 끊임없이 고민하는 기업의 경영자라면 이 책을 꼭 일독하길 바란다. 자주 인용하고 참고할 수 있는 경영의 나침반 역할을 해줄 것이다.

-배보경, IGM 세계경영연구원 원장

지금 비즈니스 곳곳에서는 죽이지 않으면 죽는 전쟁터처럼 치열하고 절박한 싸움이 벌어지고 있습니다. 100년이 된 기업이건 1등 기업이건 피해 갈 수 없습니다. 하루아침에 영문도 모른 채 사라져버리는 신세가 되기도 합니다. 경쟁자들

은 같은 업계만이 아니라 예상치 못한 곳에서 튀어나오고 있고 게임의 룰 같은 것은 깨진 지 오래됐습니다. 예민하게 깨어 있지 않으면 자칫 생존이 위태로워질 수 있습니다. 이제 새로운 전쟁이 시작됐고 새로운 전략이 필요하게 됐습니다. 이 책은 실전 전략 교과서이자 참고서입니다. 수시로 펼쳐 보면서 전략도구들을 자유자재로 꺼내 사용해보면 좋겠습니다.

–서인학, 램리서치 코리아 사장

완전히 새로운 판이 펼쳐지고 있다. 4차 산업혁명의 높은 파고는 누구도 거역할 수 없는 기업경영의 위기요 기회 요소이다. 혹자는 이 현상을 쓰나미와 같다고도 한다. 이런 상황에서 기업에 절실하게 필요한 것을 이런 상황을 정확히 판단하고 헤쳐나갈 최선의 전략을 짤 수 있는 위대한 전략가일 것이다. 그런데 위대한 전략가는 타고나는 것이 아니라 키워지는 것이다.

이 책은 바로 그 위대한 전략가가 되는 길을 제시한다. 더 전략적으로 시장을 읽고 더 전략적으로 생각하고 더 효율적으로 전술을 짜고 빠르게 반드시 수행해내는 법에 대해 체계적으로 알려준다. 모 그룹의 최고 전략가로서 일한 경험으로 감히 말하자면 재빠르게 환경을 읽고 거기에 적합한 최적의 해법을 구하기 위해 끊임없이 고민하는 기업의 경영자라면 이 책을 꼭 일독하길 바란다. 자주 인용하고 참고할 수 있는 경영의 나침반 역할을 해줄 것이다.

–김경원, 세종대 경영전문대학원 교수

이 책의 저자 양백 박사는 20년 이상 경영 관련 컨설팅과 연구를 해온 실전과 이론을 겸비한 이 분야 전문가이다. 그가 그간의 노하우를 담아 전략의 실전서를 만들었다. '전략을 어떻게 짤 것인가?' 이 책은 그 질문에 답을 제시해주고 있다. 전략이라면 지금 비즈니스에서 가장 필요한 것이다. 당장 책을 사서 읽어보시길 바란다. 당신이 안개처럼 알고 있던 전략에 대해 그 누구보다 명쾌하고 명확하게 그리고 실제 도움이 되도록 씌어 있다. 이제 전략은 전략 담당 부서나 컨설턴트만의 업무가 아니다. 누구나 자신의 자리에서 전략을 짜고 실행할 수 있어야 한다. 일독을 권한다.

–권구혁, 연세대학교 경영대학 교수

전략 4.0

전략 4.0

당신은 미래를 뚫고 나갈 전략가인가?

양백 지음

Strategy 4.0

"

불가능의 영역을 가능의 영역으로 끌어내는 것이
전략가의 역할이다!

"

추천사

전략으로 극복하고 승리하라!

한근태, 한스컨설팅 대표

난 그동안 전략과는 무관한 삶을 살았다. 그래서 만약 시간을 되돌릴 수 있다면 조금은 전략적으로 살고 싶다는 생각을 한다. 전략이란 말을 들으면 무엇이 연상되는가? 연말에 하는 사업보고, 생존을 위해 투쟁 중인 기업, 국가 간 치열한 다툼 같은 것들이 떠오를 것이다. 근데 그렇지 않다. 전략은 기업이나 국가의 아젠다만은 아니다. 개인에게도 전략이 필요하다. 전략을 갖고 사는 사람과 아무 생각 없이 사는 사람은 차이가 있을 수밖에 없다.

지인 중 전략적인 사람이 있다. 너무 어렵게 살았기 때문에 더 이상 그런 걸 반복하기 싫어서이다. 늘 목표를 설정하고 현 위치를 파악하고 목표까지 가기 위해 해야 할 일을 생각하고 우선순위에 따라 산다. 자기가 할 일을 명확히 하고 어떻게 하면 그 일을 잘할 수 있는지 계속해서 공부하고 공부한 걸 실천한다. 그는 취직 대신 스타트업을 택했다. 월급생활로 자신의 목표를 달성하기는 어렵다고 판단했기 때문이다. 보통 사람의 대여섯 배 노력을 통해 스타트업의 지분을 팔아 제법 큰돈을 벌었고 요즘은 금융 관련 스타트업을 시작해 부동산 관련 공부를 열심히 한다.

내가 우연한 기회에 부동산 공부에 대해 물어보자 이런 말을 한다. "부동산과 그 동네 직업 숫자와 밀접한 관련이 있습니다. 여의도는 20만 개, 강남은 100만 개 정도 있고 요즘은 직업이 강북에서 강동 쪽으로 이동하고 있습니다. 당연히 집값은 뛰게 되어 있지요. 근데 중간마다 빈 곳이 있습니다. 가치보다 저평가된 곳인데 전 그런 곳에 투자합니다." 직업과 부동산 가격의 상관관계는 어렴풋이 알고 있었지만 한 번도 수치상으로 분석한 적이 없었다. 그런데 그 친구는 이미 그런 것까지 공부해서 투자하고 있었다. 난 큰 깨달음을 얻었다. 전략의 중요성을 새삼 확인했다.

원래 전략 책은 재미없다. 근데 이 책은 다르다. 나도 모르게 단숨에 다 읽었다. 같은 주제를 다른 시각으로 해석하는 것도 재미있다. 대표적인 것이 스왓SWOT 분석이다. 강점과 약점을 분석 후 기회를 잡는 대신 반대로 하라는 것이다. 불안의 시대에 대한 해석도 흥미롭다. 불안의 다른 말은 뷰카VUCA이다. 뷰카는 '급변하고Volatile 불확실하며Uncertain 복잡하고Complex 모호한Ambiguous'을 뜻하는 단어들의 머리글자를 따서 만든 것이다. 앞을 볼 수 없어 마치 짙은 안갯속을 운전하는 것과 비슷하다. 이럴 때는 어떻게 하면 안개를 걷고 앞을 볼지를 고민하라는 것이다.

내가 생각한 방법의 하나는 다음 세 가지 질문을 던지는 것이다.

"내가 아는 것은 무엇인가, 내가 모르는 것은 무엇인가, 내가 알아야 할 것은 무엇인가?" 요즘 개인과 조직이 다 힘들다고 난리이다. 근데 불황 혹은 힘들다는 것의 정확한 의미는 무엇일까? 내가 생각하는 불황은 기존의 상품, 프로세스, 방식이 더 이상 통하지 않는다는 것의 또 다른 표현이다. 전략은 무엇을 하느냐에 이슈가 아니다. 하지 말아야 할 것을 먼저 정해야 한다. 이후 남는 리소스를 활용해 해야 할 일을 정하는 것이다.

난 총론만을 얘기하는 걸 좋아하지 않는다. 총론에 걸맞은 각론이 있어야 한다. 이 책은 각론이 참 좋다. 다양한 도구를 소개한다. 몇 가지 소개한다. 전략을 위한 3S가 그것이다. 뭔가를 감지하는 '센싱Sensing', 그중에서 선택하는 '실렉팅Selecting', 선택한 것을 실행하기 위한 '세팅Setting'이 그것이다. 다음은 퓨처스 휠Futures Wheel이다. 미래를 분석하는 분석 프로세스인데 크게 세 가지로 나눌 수 있다. 먼저 주제를 선정한다. 그다음 그게 소비자에게 어떤 영향을 줄지를 예측한다. 마지막으로 파급효과를 예측하는 것이다. 퓨처스 휠에서 가장 중요한 포인트는 고객 입장에서 작성하는 것이다. 트렌드를 선정할 때부터 '고객이 무엇에 가장 관심이 있을까?'를 기준으로 해야 하고 그 트렌드로 생겨나는 파급효과 역시 '고객들은 어떻게 생각할까?'라는 관점에서 생각해야 한다. 고객 프로파일링Customer profiling 도구도 유용하다. 고객 프로파일링은 고객이 어떤 생각을 할 것인지를 세 가지로 구분한다. 바로 혜택, 활동, 불만이다. 경영자 혼자 고민하는 대신 가급적 많은 직원을 동참시킨다. 직원들에게 포스트잇을 주어 고객 입장에서 생각할 때 떠오르는 혜택, 활동, 불만을 적도록 하는 것이다. 막연한 것보다는 구체적으로 적게 한다.

지금 국가와 기업과 개인 모두가 백척간두의 위기에 처해 있다. 세상은 변하는데 과거사만을 따지는 데 열을 올리고 있다. 강대국 사이에 끼여 헤매면서 주제 파악을 못하고 있다. 물론 방향성 같은 건 생각조차 못하고 있다. 이럴 때는 냉정하게 환경분석을 하고, 우리의 현 위치를 알려주고, 우리가 해야 할 것과 하지 말아야 할 것은 말해주는 텍스트가 필요한데 이 책이 바로 그렇다. 중요한 의사결정을 하는 사람들에게 특히 권한다.

서문

다시 문제는 전략이다!

나의 오랜 화두는 '변화'이다. 경영 전략을 전공하고 연구해온 학자이자 20여 년간 경영 컨설팅을 한 컨설턴트로서 당연한 관심이 아닐 수 없다. 물론 이제 꽤 낡고 진부한 단어가 됐다. 너무 많은 사람이 이야기해서다. 하지만 요즘만큼 그 본래의 뜻을 포효하며 생생한 활력을 획득한 때도 없는 것 같다. 실로 짧은 시간 동안 너무나 많은 변화가 일어났고 또 일어나고 있다.

특히 우리는 지금 아주 근본부터 뒤흔드는 변화를 목격하고 있다는 점에 주목해야 한다. 시장Market과 경쟁자Competitor에 대한 통념이 일거에 뒤집어지며 그야말로 산업구조의 일대 혁신이 일어나고 있기 때문이다. 테슬라 모터스는 어렵게 개발하고 확보한 전기 자동차 관련 특허권을 아무 조건 없이 모든 경쟁자에게 개방했다. 또한 창업한 지 10년도 채 되지 않은 숙박 공유 기업 에어비앤비의 시장가치가 100년 가까운 업력과 브랜드 가치를 자랑하는 기업 힐튼이나 메리어트 호텔의 그것을 턱밑까지 따라잡는 일이 일어나고 있다.

에어비앤비의 창업 스토리를 아는가? 두 명의 웹디자이너들이 대규모 컨퍼런스에 참가하기 위해 자신들이 살고 있던 도시에 방문하는 사람들에게 에어매트리스 침대와 아침식사를 제공하기 위해 만든 웹사이트가 출발점이다. 그것이 '바퀴벌레 같은 생존력'으로 살아남아서 호텔업계 글로벌 강자인 메리어트 호텔의 시장가치를 뛰어넘어버린 것이다.

그런가 하면 파괴적 혁신 기업의 대표 주자로 전 세계 유니콘 기업 랭킹 1위를 기록하며 '우버드Ubered' '우버화Uberfication'라는 신조어까지 만들어낸 차량공유 기업 우버가 중국 시장에 진출했을 때 맞닥뜨렸던 현실은 상식을 무너뜨린다. 이미 중국에 우버와 똑같은 서비스를 제공하는 짝퉁 우버들이 판을 쳤기 때문이다. 중국의 지적재산권 침해 문제는 '낫 메이드 인 차이나Not made in China'라는 시니컬한 상표가 있을 정도로 매우 심각했다. 하지만 더욱 놀라운 사실이 기다리고 있다. 우버가 정식으로 중국에 진출해 세운 '우버 차이나'가 자신들의 짝퉁과 하루아침에 손을 잡고 하나가 됐다는 것이다.

지금 산업 시장에서는 과거에는 쉽게 상상할 수 없었던 일들이 너무나 천연덕스럽게 일어나고 있다. 과거의 기준으로는 도저히 이해되지 않는 변화들이 점점 더 빠른 속도로 진행되고 있다. 더욱이 우리가 4차 산업혁명이라고 부르는 거대한 변화의 일부분에 불과하고 그 특성을 예측하기도 어렵다.

에어비앤비가 100년 가까운 업력을 자랑하는 힐튼 호텔의 규모를 뛰어넘었다고 해서 장밋빛 미래가 보장된 것은 아니다. 기업들의 평균 수명이 15년 남짓밖에 안 된다는 충격적인 조사결과를 굳이 인용할 필요도 없다. 우리 눈으로 똑똑히 시장의 1위 기업들이 어느 순간 소리 소문도 없이 사라져버리는 걸 보았기 때문이다. 페이스북을 위협하던 마이스페이스나 대한민국 국민이 하나씩은 갖고 있던 싸이월드가 그렇지 않았는가. 그리고 한때 페이스북과 어깨를 나란히 하던 트위터는 현재 미국 대통령 트럼프가 쓰지 않으면 언론에서 노출될 일도 없는 신세가 되어버렸다.

그런데 이렇게 4차 산업혁명으로 표현되는 현재의 극심한 변화가 인터넷 기업에만 유리하거나 오프라인 기업에만 불리해서 모두 몰락의 구렁텅이로 빠뜨리는 것은 결코 아니다. 예를 들어 IT나 첨단 기술과는 전혀 거리가 멀어 보이던 농기구 회사 존디어는 누구보다 정확한 상황 판단력으로 4차 산업혁명 시대의 주인공 자리를 꿰차고 앉을 수 있었다. 캐터필러와 같은 중장비 회사는 인공위성을 통한 위성항법시스템GPS과 원격 조정 장치 등을 자사 중장비에 부착해 무인 작동이 가능하게 했다. 건설 공사에서 큰 비중을 차지하던 숙련공의 인건비 부담을 대폭 줄일 수 있었다. 결국 4차 산업혁명이 몰고 오는 변화의 파도가 아무리 높고 거세다고 해도 기업의 운명은 어떻게 대처하느냐에 따라서 제각각 달라진다는 것이다. 예전과 달리 경쟁 포인트 하나만 잘 선점해도 강력한 경쟁자를 손쉽게 물리칠 수 있는 극적 변화도 가능해진 것이다.

칼은 쓰는 사람에 따라서 사람을 살리는 유용한 도구가 되기도 하고 사람을 다치게 하는 흉기로 돌변하기도 한다. 그런데 칼이 사람을 다치게 했다고 해서 "칼은 모두 버려야 한다."고 할 수는 없지 않은가. 만약 나만의 경쟁 포인트가 하나의 칼이라면 이제 CEO는 기업의 생존과 성장을 위해 그 칼을 버리고 벼리는 최고전략가가 되어야 한다. 그러기 위해서는 또한 원칙에 충실해야 한다. 예컨대 포지셔닝Positioning이나 익숙하다 못해 진부하기까지 한 스왓SWOT이나 본문에서 자세하게 다룰 퓨처스 휠Futures Wheel이나 레이더 스크린Radar Screen과 같은 경영 분석도구들은 '아무짝에도 쓸모없는 버려야 할 과거의 기억'들이 아니다. CEO가 혼자서 기업 전략을 수립할 때 '반드시 익혀야 할 필수도구'가 되고 있다. 이 책의 상당 부분을 '3S 전략*'이라고 부르는 경영 분석도구를 설명하는 데 할애한 이유가 여기에 있다.

혹시라도 나의 이런 주장에 대해 '시의적절하지 못하다'고 생각한다면 간단하게 설득시켜드리겠다. 테슬라의 예를 보자. 전 세계 기업 중에서 가장 핫하다는 테슬라가 전기 자동차 제조회사(테슬라 모터스)에서 '에너지 기업(테슬라)'으로 과감한 확장을 했다. 그때 사람들은 그 무모함에 놀라움을 감추지 못했다. 하지만 나는 전혀 그렇지 않았다. 테슬라 CEO 일론 머스크Elon Musk가 그동안 인수합병했던 기업들의 면면을 보면 그다음 행보를 짐작할 수 있기 때문이다.

---

* 3S 전략에서는 전략수립의 프로세스를 센싱Sensing, 실렉팅Selecting, 세팅Setting의 3단계로 구분해서 진행한다.

결국 일론 머스크의 야심은 '에너지 분야의 수직계열화Vertical Integration'였다. 인류는 언제 어떤 상황에서든 안정적인 전력원이 필요하다. 아마 태양광이야말로 생산비용이나 안정성 등에서 가장 근본적인 경쟁력 상품이라고 판단했을 것이다. 그래서 그는 누구보다 먼저 태양광 발전과 관련된 산업의 수직계열화를 달성했다. 모두가 자신이 제공하는 다양한 에너지 관련 서비스를 선택하도록 한 것이다.

한마디로 그의 거대한 야심은 '새로운 플랫폼의 확장'으로 요약할 수 있다. 즉 전기차 관련 특허를 전폭 개방함으로써 직접적인 경쟁자를 포용해 시장의 파이를 키우고 솔라시티, 기가팩토리, 에너지 스토리지 시스템, 전기 배터리 생산 등 태양광 발전 분야를 수직계열화해 잠재 고객까지 확보하겠다는 것이다. 일단 한번 발을 들여놓으면 이탈하기 어려운 록인Lock-in 플랫폼을 짜고 있었던 것이다. 현재 일론 머스크와 관련된 기업들의 주식 평가가 상당히 높다. 시장이 그의 이 거대한 플랫폼 설계에 대해 동의하고 있다는 의미이다.

일론 머스크는 스티브 잡스의 뒤를 잇는 혁신 경영자의 아이콘으로 주목받고 있다. 그런 그도 과거의 경영 분석도구를 철저하게 체화한 뒤 미래 전략을 세워 현실에서 하나씩 이루어가고 있다. 나는 이 책을 통해 그 사실을 말하고 싶다. 지금 모두가 4차 산업혁명의 거대한 파도를 보며 두려움에 휩싸여 있다. 나는 그 거대한 파도에 맞서 싸우는 가장 정확한 지혜를 나누고 싶다.

나는 전략가의 역할은 불가능해 보이는 것들에 현혹되지 않고 그것을 극복해 '가능'의 영역으로 이동시키는 것이라고 생각한다. 우리 모두 전략가의 자세로 무장해 오늘의 위기를 살피고 내일의 풍요를 열어나가길 바란다.

이 책이 완성되기까지 격려와 도움과 조언을 준 분들이 많다. 지면을 빌어 감사의 말씀을 전한다. 우선 IGM 세계경영연구원의 전성철 회장님의 강력한 지지와 조언에 큰 감사의 말씀을 올린다. 지금 이 자리에서 강의하고 연구할 수 있는 터전을 만들어 주셨고 이 책을 완성하는 데 너무 큰 도움을 주셨다. 또한 원장으로 계신 배보경 박사님의 지원 또한 잊지 못할 큰 힘이 되었다.

IGM 세계경영연구원의 주니어들인 홍석재, 안성준, 노치두, 이승주, 이하연, 이예슬, 김민경, 양신혜, 오지영에게 감사한다. 책을 쓰는 데 많은 도움을 주었다. 또한 시니어 매니저들인 조진국, 박홍석, 김광진, 정인용, 김용우 등에게도 감사한다. 나에게 지적 호기심을 끊임없이 자극해주었다. 무엇보다도 나의 이 졸고를 받아 흔쾌히 출간해준 클라우드나인의 안현주 대표와 장치혁 대표에게 큰 빚을 졌다.

마지막으로 이 길을 걸어오는 동안 항상 나의 곁에서 지지하고 응원하고 코치해준 나의 아내와 듬직한 두 아들에게 이 책을 바친다.

2017. 11

양백

차례

다시 문제는 전략이다!

1부

4차 산업혁명 시대, 전략으로 돌파하라!

불확실성이 지배하는 시대이다. 안갯속을 걷는 것처럼 한 치 앞을 분별하기 어려운 새로운 경영 환경을 맞았다. 이제 어떻게 위기를 극복할 것인가. 문제는 다시 전략이다. 새로운 시대에는 새로운 전략이 필요하다. 실로 '전략'에 사무쳐 치밀하게 '전략'을 파고들어야 한다. 이에 나는 새로운 전략 수립의 3단계를 제안한다. 3S 전략이라 할 '센싱'과 '실렉팅'과 '세팅'이 그것이다.

1부에서는 급변하는 경영 환경에서 전략 수립의 기준이 되는 '트렌드'를 살피고 효과적인 대응전략을 수립하기 위한 분석 프로세스로서 '다섯 개의 눈' 분석 툴을 제시한다. 거시환경 분석, 산업 환경 분석, 소비자 분석, 경쟁자 분석, 기업 분석이다. 각각의 세심한 분석을 통해 누구든 새로운 시대를 맞이하는 새로운 전략을 탄생시킬 수 있을 것이다.

당신은 미래를 뚫고 나갈 전략가인가?

1장

죽느냐 사느냐,
새로운 전쟁이 시작됐다

전쟁의 최고 무기는 전략이다

평지에 자리한 군대가 고지에서 물밀 듯이 밀고 내려오는 적군을 향해 일제히 화살을 쏘아 올린다. 화살은 적들을 향해 소나기처럼 쏟아졌다. 그러나 적진 깊숙이 숨겨져 있던 긴 날개가 달린 거대한 화살에 의해 모두 맥없이 땅으로 떨어지고 만다. 비처럼 쏟아지는 화살 세례로 적의 예봉을 꺾으려던 공격이 무위로 돌아갔다. 그렇게 싸움의 승기가 적에게 넘어가던 순간 난데없는 굉음과 함께 전장은 새로운 국면을 맞는다. 오크족으로 이루어진 새로운 적이 등장한 것이다.

어느 휴일 모처럼의 망중한이 어색해 이리저리 TV 리모컨을 돌리다 우연히 보게 된 영화 「호빗: 다섯 군대 전투」의 한 장면이다. 끊임없이 예상치 못한 상황과 마주치는 전장의 긴장과 그러한 상

영화 「호빗: 다섯 군대 전투」 중 한 장면. 전쟁 상황에서 모든 전략과 전술은 지휘관의 판단에 따라 결정된다.

황을 해결하는 지휘관의 모습이 요즘 컨설팅과 강의 현장에서 만나는 다양한 기업들과 CEO들의 모습과 오버랩되어 눈길을 떼지 못하고 본 것 같다. 변화와 그에 대한 대처라는 주제를 선명하게 보여주었기 때문이다.

영화 얘기를 조금 더 해보도록 하자. 난쟁이 군대의 지휘관은 평지에 자리한 요정과 인간 연합군을 향해 돌진하고 있었다. 그런데 갑자기 방향을 돌려 오크족들의 군대를 향해 진격하기 시작했다. 지축을 뒤흔들며 나타난 새로운 군대가 너무나 강력한 적임을 직감했기 때문이다. 그의 군대는 갑자기 바뀐 지휘관의 명령을 한 치의 망설임 없이 일사불란하게 따르며 난데없이 등장한 적을 향해 긴 창과 방패로 방어진을 구축하기 시작했다. 난쟁이 군대라는 조직 전체가 새로운 변화에 기민하게 대응한 셈이다.

그렇게 언덕 위의 유리한 고지를 차지하던 난쟁이 군대가 새로운 적의 파상공세와 맞부딪치려는 순간 또 한 번의 놀라운 장면이 펼쳐졌다. 조금 전까지 화살 세례를 주고받던 요정과 인간의 연합군, 즉 평지의 군대가 난쟁이들의 방패를 딛고 오크족 군대와 맞서기 위해 힘을 합쳐 동맹군이 된 것이다.

영화 속에서도 5초 남짓 순식간에 일어나고 사라진 장면이지만 전투 현장의 상황 변화가 너무나 극적이어서 끝나고 난 뒤에도 머릿속에 강하게 남아 있었다. 상황 변화에 기민하게 대처해야 하는 최고전략가의 역할이 저런 것이어야 하지 않은가 생각했기 때문이다.

기업 경영을 흔히 전쟁에 비유하곤 한다. CEO들이 전쟁터에서 군대를 지휘하는 장군의 역할을 하기 때문이다. 본래 기업에서 CEO의 역할은 다양하다. 기업 실적이 좋고 직원들의 사기가 충천해 있을 때는 더욱 열심히 일할 수 있도록 응원하고 다독여주는 부모의 역할을 한다. 하지만 장기 불황에 대응할 때는 구조조정과 같은 비장의 칼을 드는 냉정한 최고전략가로서의 역할을 해야 하기도 한다.

그래서 요즘처럼 '극심한 변화'라는 한마디 표현으로는 담아내기 어려운 혁명적 변화의 시기에 CEO의 역할은 사내 최고전략가여야만 한다. 시계 제로의 경영 환경에서 자칫 방향 설정을 잘못하거나 변화하는 경영 환경에 제대로 대응하지 못한다면 유한한 기업자원을 엉뚱한 곳에 소모하며 폭풍 속에서 표류하고 결국 기업이라는 배는 좌초할 수밖에 없다. CEO는 냉철하고 노련한 선장의 역할을 해야 한다.

전략 본연의 의미에 주목하라

CEO들은 지금과 같은 시기에 다양한 전략과 전술을 마련할 것이다. 하지만 막상 실전에서 전략과 전술이 한순간에 무용지물이 되기도 한다. 경쟁과 고객에 대한 오랜 관점 자체를 수정해야 하는 상황이 곳곳에서 일어나기 때문이다. 즉 과거 기준으로 볼 때는 경쟁 상대라고 생각할 수도 없었던 기업들과 싸워야 한다는 사실이 불현듯 눈에 들어오기도 하는 것이다.

그러다 보니 경영 현장이나 4차 산업혁명을 연구하는 학계에서는 "과거의 기준을 모두 버리자."는 목소리까지 나오고 있다. 그만큼 현재의 변화가 과거와 비교해서 보다 근본적이고 보다 격렬하며 보다 심각하기 때문이다. 하지만 이러한 때일수록 냉정함을 잃지 않고 전략 본연의 의미를 떠올려야만 한다. 전략가의 역할은 할 수 있는 것과 할 수 없는 것을 구분하고 불가능해 보이는 것을 가능의 영역으로 끌어낼 방안을 찾아 나서는 것이다.

우리는 이러한 경영 환경의 변화를 직시하고 그 흐름을 냉정히

추적했을 때 매우 중요한 인사이트를 얻을 수 있다. 바로 '가치제안VP, Value Proposition'이다. 나는 기업이 고객들에게 어떠한 가치를 제공하고 지속할 수 있느냐에 따라 앞으로의 승패가 판가름날 것으로 생각한다.

자, 우리 회사의 현재 상황을 '가치제안'을 기준으로 들여다보자. 그럼 요즘 경영 환경의 혼란스러움이 조금씩 걷혀가는 것을 느끼게 될 것이다. 이를테면 창업한 지 10년 정도밖에 안 된 기업 에어비앤비가 업력이 100년 가까이 된 호텔산업의 글로벌 강자 메리어트 호텔의 시장가치를 턱밑까지 추격한 것도 설명할 수 있다. 생산 모델이라고는 두 개밖에 없는 테슬라가 신뢰와 정밀성의 상징과도 같은 독일의 대표 브랜드 중 하나인 BMW의 시장가치를 뛰어넘은 것도 마찬가지이다. 과거의 기준으로는 설명하기 어렵지만 새로운 시각으로는 충분히 이해할 수 있다.

설상가상 테슬라는 BMW와의 경쟁은 안중에도 없다는 듯 자신의 이름에서 '모터스'라는 단어를 떼버리고는 '지속가능한 에너지Sustainble energy'라는 사명을 발표하며 "우리는 에너지 기업이다."라고 선언해버린다. 이로써 테슬라와 같은 전기 자동차 기업과의 경쟁에 맞서기 위해 절치부심하던 기존 자동차 기업들의 대응 전략은 한순간에 무색해져 버린다. 테슬라는 전기 자동차로 내연기관 자동차 시장의 오랜 구도를 크게 흔들어놓고는 훌쩍 '에너지' 분야로 사업을 확대한 것이다. 그래서 과거의 기준으로 테슬라나 애플, 페이스북이나 구글, 우버와 에어비앤비 같은 기업들을 이해하기는 쉽지 않다. 새로운 융합과 수렴을 통해 단시간 내 새로운 형태의 비즈니스 모델로 확산해가고 있다.

CEO의 전략력에 승패가 갈린다

시장의 변화가 극심한 만큼 도태하는 기업도 많아서 기업이 시장에서 생존하는 기간은 점점 짧아지고 있다. 『포브스』에서 해마다 발표하는 '글로벌 톱 10 기업'과 같은 기업 순위마저 점점 무의미해지고 있다. 30년 남짓하던 기업의 평균 수명이 최근에 들어와서는 고작 15년 정도밖에 되지 않는다고 한다. '계속기업Going concern'이라는 명칭처럼 기업들이 지속적으로 생존하고 성장하는 것만도 큰 도전이고 과업이 되고 있다.

게다가 생존에 성공했다고 하더라도 과거의 사업을 그대로 유지하지도 못한다. 과거 글로벌 톱 IT 기업 중 현재까지도 그 순위를 지키는 경우는 거의 없다. 글로벌 IT 톱 10 기업 중 생산시설을 보유한 곳은 우리나라의 삼성전자밖에는 없을 정도다. 기업 상황은 거대한 변화를 맞고 있다. 회사의 성격이 아예 바뀐 경우도 많다. 세계 최고의 컴퓨터 회사였던 IBM은 이제 소프트웨어와 IT 서비스 기업으로 완벽하게 탈바꿈했다. 또한 월스트리트와 세계 금융시장의 최강자였던 콧대 높은 골드만삭스에는 슬그머니 금융과는 아무런 관련이 없어 보이는 컴퓨터 프로그래머 같은 IT 전문가들이 자리를 차지하면서 전에 없던 변화가 나타나기 시작했다.

현재 골드만삭스는 지난 100여 년간 쳐다보지도 않던 개인 소매금융시장에 진출해 성공을 거두고 있다. 그 원동력이 바로 IT 전문가들에게서 나왔다. 빛나는 과거와 단절한 뒤 놀라울 정도로 새롭게 변화한 기업 사례는 무궁무진하다. 이 책의 첫 페이지부터 마지막 페이지까지 소개해도 남을 정도로 많다. 우리는 이렇게 수많은 변화의 사례들을 보며 한 가지를 깨닫게 된다. 그야말로 기업 경영의 '판'이 바뀌고 있다는 것이다. 기업의 경영이 근본적으로 바뀌고 있다는 것이다. 과거 금융업체들, 제조업체들, 서비스 업체들이 각자의 산업에서 치열하게 경쟁을 벌였을 때 이기게도 하고 지게도 했던 기준 자체가 부지불식간에 변화하고 있는 것이다. 우리는 정보통신기술ICT의 놀라운 발달과 인터넷의 급속한 보급 등이 촉발시킨 이러한 거대한 변화를 4차 산업혁명이라고 부른다. 하지만 이 여섯 글자에 그 모든 변화를 담기는 어렵다.

물론 경영 현장에 있는 사람이라면 누구나 다 현재 무언가 엄청난 변화가 진행된다는 사실 자체는 체감하고 있다. 하지만 그러한 변화가 어디까지 이어지고 언제까지 계속될지는 쉽게 감을 잡지 못하고 있다. 어쨌든 '우리도 변화해야 한다'는 것과 '누군가 주도적으로 이끌고 나가야 한다.'는 사실은 분명하다. CEO의 다양한 역할 중 '최고전략가'로서의 역할이 무엇보다 우선시되는 이유가 바로 여기에 있다.

4차 산업혁명이라고 부르는 거대한 변화에서 기업의 생존과 성장은 전적으로 CEO의 역량에 달려 있다. 기업이라는 배를 집어삼킬 듯이 몰아치는 변화의 파도에서 정확한 방향성과 노련한 항해술로 좌초하지 않게 하는 중차대한 역할을 맡은 유일한 포지션이 바로 CEO이기 때문이다.

'비즈니스 모델'의 기본 구조가 바뀌었다

우리는 본격적인 의미의 자본주의가 시작된 제2차 세계대전 이후부터 현재에 이르기까지 약 60여 년간 기업들이 따르고 구사해왔던 다양한 경영 전략의 변천사를 살펴볼 필요가 있다. 지금 시점에서 꽤 중요한 일일 듯싶다. 한 시대와 하나의 시장을 풍미했던 다양한 기업들의 전략들까지 아우른다면 실로 많은 전략과 경영 전술이 있었다. 모두 당시 기업들이 처한 시대 상황과 밀접한 관계를 갖는 것들이다. 따라서 현재 우리가 자주 언급하는 4차 산업혁명이 과연 어떤 변화를 말하는 것이며 어떤 영향을 미칠 것인지를 보다 정확하게 파악하기 위해서는 우선 현재의 시대 상황을 살펴볼 필요가 있다.

4차 산업혁명이라는 용어가 전 세계적으로 퍼지게 된 것은 2016년 스위스 다보스에서 개최된 세계경제포럼WEF이 계기가 됐다. 당시 포럼의 주제가 '4차 산업혁명의 이해'였다. 이 세계경제포럼에서 2008년 금융위기로부터 시작된 세계경제의 장기침체 국면을 어떻게 벗어날 것인가에 대한 논의가 이루어졌다. 결국 4차 산업혁명이라는 용어는 '어떻게 하면 세계적인 경제 저성장을 극복할 수 있을 것인가?'라는 시대적 요청을 담은 말이라는 것을 짐작할 수 있다.

2016년의 세계경제포럼이 촉발시킨 '4차 산업혁명'은 현재 전 세계 기업들이 직면한 거대한 변화를 통칭하는 표현으로 자리 잡고 있다. 내가 주목하고자 하는 변화는 그중에서도 '디지털'과 '인터넷'이라는 키워드로 표현할 수 있다. 이를테면 인공지능이나 가상현실 그리고 플랫폼 비즈니스나 크라우드와 클라우드처럼 예전에는 존재하지 않았던 새로운 종류의 사업 영역이 나타나 거스를 수 없는 변화의 흐름이 되는 것처럼 말이다. 그뿐만 아니라 4차 산업혁명에서 주목해야 할 또 다른 변화는 기업들이 수익을 올리는 비즈니스 모델의 기본적인 구조 또한 큰 변화를 하고 있다는 사실이다. 테슬라 모터스가 현대자동차의 수소 차나 도요타의 하이브리드 차 출시에 큰 관심을 두지 않는 것도 그런 맥락에서 이해할 수 있다.

모든 것이 변해도 변하지 않는 것이 있다

우리는 지금 100년 전통의 세계적 명성을 자랑하던 기업들이 겪우 10년 남짓 된 인터넷 기업들에 밀려 허둥지둥하는 것을 숱하게 보고 있다. 그러다 보니 과거의 기준을 버리고 새로운 시각을 가져야만 한다든가 파괴적일 정도로 전폭적인 변화를 해야 한다는 목소리도 높다. 하지만 CEO는 기업 최고전략가로서 냉정함을 잃지 말아야 한다. 한정된 시간과 자원을 가지고 어떤 것을 선택하고 또 어떤 것을 포기할지 냉철하게 결정해야 한다. 그 책임이 막중하다. 물론 게임의 룰은 바뀌었고 모든 기준은 허물어졌다. 하지만 과연 우리 경험과 통찰들까지 전부 다 무용지물이 됐고 폐기대상이 됐다고 단언할 수 있는가.

4차 산업혁명 시대의 탁월한 플랫폼 기업들은 기존 기업을 대체할 대체재인지 보완재인지 질문해보자. 에어비앤비와 메리어트 호텔은 대체재인가? 아니다. 이 둘 간의 관계는 확실한 보완재이다. 두 기업은 공생할 것이다. 하지만 한쪽은 숙박업에 가장 중요한 고객 정보를 빅데이터로 보유하게 돼 점점 가치를 얻게 될 것이지만 또 다른 한쪽은 기존 가지고 있던 점점 가치를 잃게 될 것이다.

나는 경영 전략을 전공한 경영학자이자 컨설턴트로서 수많은 경영자와 임직원을 가르치고 컨설팅해왔다. 그러다 보니 4차 산업혁명의 의미와 그 필요성을 누구보다 절감하고 있다. 하지만 나는 그렇다고 해서 이제껏 우리가 쌓아왔던 경영 지식과 통찰이 모두 쓸모없어진다고 생각하지 않는다. 오히려 그 중요성이 더욱 커질 것으로 생각한다. 그건 급변하는 환경에서도 절대 변하지 않는 것들이 있다고 보기 때문이다.

물론 기업의 경계는 점점 허물어져 가고 있다. 과거에는 상상도 못했던 클라우드 컴퓨팅이나 주문형 직원Staff on demand이라는 개념도 생겨났다. 하지만 그럼에도 기업은 제품과 서비스를 제공해 고객의 선택을 받아야 하고 고객이 지급하는 대가를 통해서 생존하고 성장한다는 기본적인 구조는 바뀌지 않는다. 기업은 결국 고객들에게 최고의 가치를 제공해야 하는 존재라는 것이다.

이런 낯설지 않은 '가치제안'이 4차 산업혁명이라는 거대한 격변의 시대에도 기업을 생존케 하고 성장시킬 수 있는 가장 근본적인 힘이라는 사실을 놓쳐서는 안 된다. 내가 열정을 갖고 강의하는 '3S 전략'에서 다루는 '퓨처스 휠'이나 '레이더 스크린'과 같은 전략도구의 유용성은 더욱 높아질 것이다. 이러한 전략도구들을 통해 과거의 산업 기준으로는 잡아낼 수 없던 낯선 경쟁기업들의 등장도 감지하고 대비할 수 있을 것이다. 또한 이러한 전략도구들은 전략의 수립과 실행 기준을 기업이 아닌 고객에게 어떠한 가치를 지속적으로 제공하느냐, 즉 가치제안에 두고 있다. 이는 최근 필립 코틀러가 강조하는 마켓 4.0의 기조와 정확히 그 궤를 같이한다.

전략가의 마인드셋으로 무장하라

전 세계 모든 기업을 곤혹스럽게 만들고 있는 거대한 변화에 대해 간략하게나마 살펴보았다. 기존의 여러 지식과 지혜가 무색해지는 현실에서 혼란을 느끼는 경영자들이 많다. 나는 그럼에도 불구하고 가장 중요한 것에 집중해야 한다는 주장을 했다. 인터넷과 IT 기술의 놀라운 발달이 과거에는 불가능했던 것들을 가능하게 해주었다. 하지만 산업에 대한 통념이 무너지면서 디지털 환경이 기업의 경계를 모호한 상태로 만들기도 했다. 그럼에도 기업이 제품이나 서비스를 제공하고 고객의 선택을 받아야 하는 존재라는 가장 기본적인 구조는 여전히 바뀌지 않았기 때문이다. 4차 산업혁명으로 대변되는 급격한 경영 환경에서 어떻게 생존하고 성장하며 지속가능성을 확보할 수 있을 것인지에 대한 실마리는 이렇게 '그럼에도 불구하고' 변하지 않는 가치에서부터 찾아낼 수 있다고 생각한다. 익히 들어 잘 알고 있을 '가치제안'의 중요성이 역설적으로 더욱 커진 것이다.

그리고 또 하나 '전략이란 무엇인가?'라는 의문을 새삼 가져보는 일이 중요하다. 자원과 시간이 무한정 주어진다면 애초에 '전략'은 필요 없을 것이다. 그러나 현실은 그렇지 않다. 우리는 무언가를 선택하기 위해서 또 다른 무언가를 포기하거나 뒤로 미루어야만 한다. 결국 그런 의미에서 '전략=선택'이기도 하다. 할 수 있는 것과 할 수 없는 것을 구분하고 다시 지금 당장 해야 하는 것과 나중으로 미뤄도 되는 것 혹은 남에게 시킬 수 있는 것과 돈을 주고 구매할 수 있는 것으로 구분해야 한다. 바로 전략가의 마인드셋인 셈이다. 이를 두고 스티브 잡스는 스탠퍼드대학 졸업연설에서 "당신의 마음과 직관을 따를 용기를 가져라."고 역설했던 것이다.

전략가의 눈은 기업 내부를 잘 추스르고 정리하면서 바깥으로 향해 있어야 한다. 현재 전개되는 외부 상황에 대한 정확한 판단을 바탕으로 어느 방향으로 움직여야 하는지를 치밀하게 살펴야 한다. 당장 맞닥뜨려야 하는 경쟁이 무엇인지, 경쟁자는 어떠한 강점과 약점을 가졌는지 정보를 끊임없이 수집하고 대응하는 데 필요한 역량을 갖출 수 있도록 내부 자원을 효과적으로 재배치하고 훈련시켜야 한다. 이러한 행동은 농구에서의 피보팅과 똑같다. 현실을 딛고 지속적으로 미래를 탐색하며 짧게 치고 빠져야 한다. 이를 시행착오 전략이라 하고 에릭 리스Eric Ries는 린스타트업이라 부른다.

경쟁자들이 도처에서 튀어나오고 있다

4차 산업혁명은 그 중요성에 비해서 아직도 정의나 실체에 대해서는 의견이 분분하다. 하지만 4차 산업혁명이 모든 산업, 모든 기업, 심지어 세계 각국의 경제에 큰 영향을 끼치고 있다는 사실에 대해서는 이견이 없다. 이로써 경영 환경의 변화는 더욱 극심해졌다. 그럼에도 여전히 변하지 않는 한 가지 사실은 기업들의 손에 더 이상 주도권이 없다는 것이다. 기업들은 대량생산과 대량소비의 시대, 소위 '매스mass' 관점의 시대를 거치면서 고객들에게 시장의 주도권을 넘겨주게 됐다. 고객은 특정한 기업의 제품과 서비스가 아니더라도 자신들이 원하는 것을 충족시켜줄 풍부한 선택지를 넉넉하게 갖고 있기 때문이다.

더 나아가 지금까지 우리 기업들이 '경쟁자'가 있을 것이라고는 생각조차 하지 않았던 곳에서 새로운 경쟁자들이 출현해 괴롭히고 공격하고 있다. 한때 눈부시게 빛나던 시장의 지배자들은 과거의 뒤안길로 사라져버렸다. 일류 기업으로 칭송받았던 기업 중 상당수는 이미 몰락했거나 전혀 다른 사업으로 그 모습을 바꾸고서야 간신히 살아남을 수 있었다. 시스코의 존 챔버스John Chambers 회장은 10년 내 포천 500대 기업 중 50%가 사라질 거라고 했다. 왜 이런 일이 일어난 것일까? 진작 시장의 주도권이 고객들에게로 넘어간 상황에서 급격한 경쟁 환경의 변화로 '게임의 룰'이 바뀌었기 때문이다. 과거 눈부신 성공을 보장했던 기획들이 더 이상 시장에서 통하지 않는 것이 그런 이유에서다.

위기는 곧 위험한 기회이다

이제 기업들은 '고객'에게 혹은 '시장'에서 선택받지 못하면 성장은커녕 생존도 확신할 수 없다. 입장이 완전히 바뀐 것이다. 경영 현장 곳곳에서 나타나는 생각지도 못했던 일들의 원인을 찾아 올라가면 '우리는 이제 선택받아야 하는 신세로구나.' 하는 사실을 인정할 수밖에 없다. 칼자루가 고객의 손에 쥐어져 있으니 고객의 요구를 따를 수밖에 없는 것이다.

그동안 우리가 믿어왔던 '경쟁'에 대한 관점 역시 고객의 입장에서 재해석되어야만 한다. 이제 경쟁 전략은 경쟁자를 어떻게 물리칠 것인가가 아니라 고객들에게 어떠한 가치를 지속적으로 제공할 것인가, 즉 '가치제안'으로 바뀌어야 한다. 경쟁사보다 제품 자체의 하드웨어적 스펙이 다소 낮다고 하더라도 높은 고객 충성도와 브랜드 충성도를 더해 경쟁하는 것이 가능하기 때문이다. 이제 제품이나 서비스 선택의 기준은 전적으로 고객이 느끼는 가치에 의해서 결정된다.

한편 우리는 전략에 대한 기존의 정의를 달리함으로써 이해가 어려웠던 기존의 산업 현상들을 비로소 올바르게 해석할 수 있게 되었다. 예를 들면 코닥의 몰락이 그렇다. 100년이 넘는 오랜 기간 전 세계 사람들에게 추억을 남기는 기쁨을 주던 기업 코닥의 몰락은 경쟁사인 후지필름이 아닌 난데없는 침략자인 '디지털 카메라'에 의해서다. 즉 과거 코닥과 후지의 카메라 필름이 전해주던 가치가 디지털 카메라에서 충족됐기 때문이다. 이는 같은 가치를 전달하는 다른 수단의 등장이라는 새로운 유형의 경쟁을 염두에 두어야 한다는 뜻이다.

이제 우리는 다른 유형의 경쟁자 움직임에 촉각을 곤두세워야 한다. 그동안은 같은 종류의 제품과 서비스를 가진 기업이나 브랜드만을 경쟁자로 여기고 치열하게 경쟁해왔다. 하지만 이제는 우리 생각의 지평 밖에서 언제든지 우리의 존립 기반 자체를 뒤흔드는 공격이 가해질 수 있기 때문이다. 이제 전투 현장 곳곳에 척후병과 관측병을 파견해야 하고 레이더를 곳곳에 배치해서 입체적인 경계를 펼쳐야만 한다.

그렇다고 해서 우리가 목격하는 급격한 경영 환경의 변화를 막연한 두려움으로 대하지는 않았으면 한다. 그 위험을 하나하나 벗겨나가는 과정에서 생각지도 못했던 새로운 사업 기회들이 생길 수도 있다. '위기危機'는 곧 '위험한 기회'이기 때문이다. 모두가 힘들어 죽겠다고 하소연하는 순간에도 누군가는 승리의 환호성을 지르는 법이다.

전략으로 불리함을 이겨내라

나는 지금까지 20여 년 넘게 전략 강의를 하고 있다. 가장 중요한 구성요소들은 바로 정보와 전략 그리고 실행이다. 우선, 기업의 경영 전략 수립에 필요한 정보를 어떻게 수집하고 분석할 것인지를 연구한다. 그다음 그렇게 해서 도출된 전략 후보군 중에서 어떤 것을 선택해야 하는지를 역시 전략적인 관점에서 제시한다. 그리고 마지막으로 그 전략이 어떻게 하면 원활하게 잘 실행되고 효과를 낳게 할 수 있는지 탐색한다.

그런데 안타깝게도 전략의 중요성에 대해서 누구보다도 잘 알고 있음에도 적잖은 경영자들이 전략적인 선택을 하지 못하는 것을 목격하게 된다. 전략에 대해 누구보다 깊이 고민하면서도 정작 철저하게 전략적인 판단과 행동이 필요한 순간에는 그렇게 하지 못하는 경우가 많다는 것이다. "호미로 막을 것을 가래로 막는다."는 속담처럼 문제를 제때 적합한 결정으로 처리하지 못해 결국 상황이 더욱 악화되고 나서야 부랴부랴 처리하는 경우가 드물지 않다. 그렇다면 호미를 써서 막을 일을 가래를 써서 막아낸 것을 승리라고 할 수 있을까? 더욱이 그것이 전략적일 리도 없지 않은가.

우리는 모든 전투에서 승리한다고 전쟁에서도 승리하는 것은 아니라는 사실을 역사의 수많은 사례에서 보아왔다. 프랑스가 자랑하던 마지노선Maginot Line도 히틀러의 나치군을 막는 데 힘 한번 쓰지 못하고 무너졌고 온 유럽이 나치의 군홧발에 짓밟히며 연전연패했다. 하지만 노르망디 상륙작전을 통해 제2차 세계대전의 승패는 역전되기 시작해 결국 연합군의 승리로 막을 내렸다.

전략은 적합한 타이밍에 핵심 전력을 집중해 전세를 역전시켜 승리를 이끄는 역할을 한다. 경영 현장에서도 고스란히 적용된다. 경쟁에서 승리할 수 있는 힘은 결국 고도로 집중된 역량을 효과적으로 활용하는 것에 달려 있다. 절대적으로 불리한 환경에서도 승리할 수 있는 것이다. 전략가는 규모에서 도저히 이길 수 없는 적과 맞서 싸워야 할 때는 좁은 지형 등에서 강력한 방어선을 구축한 후 전투를 벌인다. 자신에게 유리한 곳에서 전투를 벌이는 것이 승리의 확률을 높일 수 있기 때문이다.

이러한 전술 아이디어는 이미 알 리스와 잭 트라우트의 포지셔닝 이론을 통해 잘 알려져 있다. 또한 『손자병법』에서도 상대의 가장 약한 곳에서 그들이 도저히 이길 수 없는 전략으로 승리하라고 하지 않았던가!

'전략 정렬'로 뾰족하게 하라

해마다 가을이 되면 기업들은 새해 경영 계획을 수립하느라 바쁜 시간을 보낸다. 마치 전투를 치르듯 각종 보고서와 계획안을 검토하고 입안하고 수정하고 보완하고 취합하는 과정을 거쳐 수립된다. 하지만 이렇게 어렵게 수립된 경영 전략이 현실에서 계획대로 잘 실행되고 있을까? 어느 경영자라도 "물론입니다."라고 쉽게 대답하지 못할 것이다. 계획과 실행은 별개의 문제이기 때문이다. 계획한 대로 원하는 결과를 낳는다면 너무나 좋겠지만 현실은 그렇지 않다. 그러다 보니 많은 경영자가 "전략이 없어서 문제인가요. 실행이 안 되니까 문제지."라고 하소연한다.

『포브스』의 한 조사를 따르면 조사 기업 중 "전략 수립도 잘하고

영화 「300」의 한 장면. 소수가 다수와 싸우려면 좁은 곳에서 싸워야 한다.

실행도 잘하는 편이다."라고 답한 기업이 8%밖에는 되지 않았다고 한다. 이것은 전략을 실행하는 데 지속적인 관심이 필요하다는 것을 의미한다. 운전자는 아무리 잘 닦여진 도로를 달린다 하더라도 도로의 사정과 정체 상황 등을 살피며 운전한다. 제아무리 아우토반 같은 고속도로라고 하더라도 언제 어디서 어떤 상황이 발생할지 모르기 때문이다. 또한 자동차에도 역시 똑같은 관심이 필요하다. 특히 휠 얼라인먼트 등이 잘못되면 안 되기 때문에 주기적으로 점검을 받아야만 한다.

경영 전략의 수립과 실행 역시 자동차 운전과 다르지 않다. 끊임없는 관찰과 지속적인 방향 수정이 필요하다. 제대로 계획된 방향대로 가고 있는지 계속 관찰해야 한다. 그리고 혹시 잘못된 방향으로 가고 있다면 왜 그런지 등을 재빠르게 파악해 방향 수정을 해야 한다. 나는 왜 잘 수립된 경영 전략이 제대로 실행되지 않는지 알 수 없다는 경영자들의 하소연에 '전략 정렬Alignment'이라는 개념으로 설명하곤 한다. 제아무리 좋은 엔진으로 훌륭한 조립기술을 가진 엔지니어가 만든 자동차라고 하더라도 타이어의 얼라인먼트가 잘 맞지 않는다면 제대로 앞으로 나아갈 수 없다. 마찬가지의 이치가 경영 현장에서도 일어난다는 것이다. 경영 전략 수립 후에는 강력한 추진력을 바탕으로 올바른 방향으로 나아갈 수 있도록 지속적인 얼라인먼트가 필요하지 않을 수 없다.

결국 관건은 전략이다

MS의 빌 게이츠는 1년에 두 번씩 일주일간 '생각주간Think Week'이라는 일정을 가진다. 그는 이 기간에 아무도 만나지 않으면서 홀로 조용한 그만의 공간에서 최신 트렌드 보고서와 전 세계의 직원들이 제출한 보고서를 읽으며 '전략'과 '신제품 아이디어'만 생각한다고 한다. 아마존의 제프 베조스도 같은 행동을 한다. 그 역시 매 분기 말 며칠 간 회사가 아닌 곳을 찾아 의도적인 고립 상태에서 생각을 정리하는 시간을 가진다고 한다. 평소 그는 "시장이 어디를 향해 흘러가는지를 예민하게 관찰해야 한다"고 강조한 바 있다. 아마도 빌 게이츠처럼 그 역시 시장의 흐름과 각종 트렌드 등의 변화를 읽어내기 위해 사색에 몰두하는 것이리라.

지금 경영 현장에 불어 닥치고 있는 변화의 파도는 자칫 한순간에 기업이라는 배를 뒤집어 침몰시켜버리기에 충분할 만큼 거대하다. 그렇기에 빌 게이츠나 제프 베조스 같은 앞선 경영자들이 그 거대한 위험에 압도되지 않기 위해 예민한 감각을 유지하려고 누구보다 노력하고 있는 것이다.

나는 경영자들을 만나면 현재 어떤 일에 가장 많은 신경을 쓰고 경영 자원을 집중하는지를 묻는다. 그때마다 매번 '전략'에 대한 고민을 매우 많이 한다는 것을 느낀다. 경영자들이 느끼는 위기의식과 경각심은 임원들이나 직원들과는 비교할 수 없을 정도이다. 과거의 성공 방법들이 더 이상 유효하지 않게 됐기 때문이다. 그러다 보니 뭔가 다른 방법을 찾아보고자 부단히 고민하는 것이다.

외국 기업의 CEO들도 역시 마찬가지이다. 『포브스』가 자사가 선정한 500대 기업의 CEO들에게 실시했던 조사에 의하면 'CEO로서 가장 많은 시간을 쏟아야 하는 일은 무엇입니까?'라는 질문에 500대 CEO들의 35%가 전략을 꼽았다고 한다. 그리고 이어지는 고민거리로는 30%의 CEO들이 리더십을 꼽았다. 우리나라에서든 외국에서든 그만큼 CEO들은 전략의 중요성을 실감하고 있는 것이다. 결국 관건은 '전략'이다.

예전의 경영 환경을 '축구공'에 비유했다면 요즘은 '럭비공'에 비유하고 있다. 그만큼 불확실성이 큰 시대라는 뜻이다. 기업의 최고 전략가로서 CEO의 고민은 깊어질 수밖에 없다. 어떻게 전략을 수립하고 실행에 옮겨 원하는 성과를 낼 것인지, 기업을 생존 성장시키는 방안을 구체화시키는 당사자가 바로 CEO이기 때문이다.

2장

센싱, 전략가의 눈과 촉으로 변화를 읽어라

전략가의 눈으로 보라

나관중이 지은 『삼국지』에서 가장 유명한 전투 중 하나인 '적벽대전赤壁大戰'에는 다양한 뒷이야기들이 존재한다. 그중 배를 띄워 조조의 화살을 빌려 왔다는 고사 '초선차전草船借箭'은 요즘 같은 경영 환경에서 생각해볼 만한 시사점을 준다.

당시 조조군은 유비를 잡기 위해 상당한 강행군을 해온 상태에서 유비와 손권의 연합군과의 전투를 앞두고 있었다. 조조군은 전력에서 압도적이었지만 물에서 싸워본 적은 없는 기병들이었다. 더욱이 변화무쌍한 날씨 탓에 강에 짙은 안개가 끼어 한 치 앞을 내다보지 못했다. 적이 언제 쳐들어올지 몰라 극도의 긴장 상태였다. 제갈량은 이렇게 불투명한 시계 상황을 전술적으로 활용하기로 하고 짚허수아비와 짚더미를 가득 실은 배를 조조군 진영으로 보냈다. 조조군은 눈앞이 보이지 않는 상태에서 짚더미를 실은 배를 적의 기습공격으로 착각해 무수한 화살세례를 퍼부었다. 제갈량이 꾸민 계책에 넘어간 것이다. 결국 제갈량은 피 한 방울 흘리지 않고 부족한 화살을 넉넉하게 보충할 수 있었다고 한다.

요즘 경영자들은 어떤 변화가 또 어떻게 일어날지 몰라 골머리를 앓고 있다. 하지만 이럴 때일수록 더욱 냉철해야만 한다. 자칫 빠르고 거대한 경영 환경 변화에 압도당해 제갈량의 짚더미 배에다 엄청난 전력을 헛되이 쏟아 부었던 조조군처럼 엉뚱한 방향으로 자원을 낭비하는 실책을 저지를 수도 있기 때문이다. 나는 경영자들의 "도대체 전략을 어떻게 수립해야 하나요?"란 질문에 이렇게 조언한다. "불확실성의 안개를 걷어내는 것부터 시작하셔야 합니다."

흔히들 요즘의 경영 환경을 '급격한 변화의 시대' '시계 제로의 경영 환경'이라고 한다. 나는 군사용어를 빌려와 '뷰카VUCA 시대'라고 설명한다. 뷰카는 '급변하고Volatile 불확실하며Uncertain 복잡하고Complex 모호한Ambiguous'을 뜻하는 단어들의 머리글자를 따서 만든 것이다. 1990년대 초반 미국 육군 대학원에서 처음 사용되기 시작했다. 상황이 제대로 파악되지 않아 즉각적이고 유동적인 대응 태세와 경각심이 요구되는 상황을 말한다. 미래를 예측해 전략을 세우기 어려워졌다는 사실을 단적으로 드러내는 조어다.

경영자들은 이렇듯 앞날을 예측하기가 너무나 어려워진 경영 환경에서도 전략을 세워야 하고 또 그것을 잘 실행에 옮김으로써 경쟁자들을 물리치고 승리해야만 한다. 그리고 이러한 시계 제로의 환경에서는 짙은 안개를 이용해 화살이라는 귀중한 자원을 손쉽게 확보해낼 수 있었던 제갈량의 지혜를 떠올릴 필요가 있다.

메가 트렌드에 올라타라

세상에는 다양한 경영 전략이 있다. 하지만 나는 이렇게 한 치 앞을 내다보기 어려운 뷰카 시대에 경영 전략을 수립할 때는 '어떻게 정보를 효과적으로 모을 것인가?'에서부터 시작할 것을 권한다. 아무런 정보도 없이 훌륭한 전략을 세울 수 있는 사람은 어디에도 없다. 정확한 판단을 내릴 수 있는 신뢰도 높은 정보를 충분히 모아 분석해야만 올바른 전략을 수립할 수 있다.

정보 수집에서는 무엇보다 트렌드에 주목해야 한다. 우리는 바닷물의 거대한 흐름을 뜻하는 트렌드를 통해 시장의 중장기적 변화가 기본적으로 어떻게 흘러갈 것인지 파악할 수 있다. 그래야만 기업이 처한 경쟁 환경을 이해하고 효과적인 경영 전략을 세울 수 있다. 맥킨지앤컴퍼니의 글로벌 회장인 도미니크 바튼Dominic Barton 역시 나와 같은 생각으로 이렇게 조언한다.

"전략 이론에만 몰두하지 말고 글로벌 변화 트렌드를 주시해야 합니다."

특정 기업이 전략을 세울 때 거대한 트렌드의 변화를 거슬러서는 안 되기 때문이다. 또한 다른 한편으로는 차라리 기업이 트렌드에 올라타며 앞으로 나아가는 것이 더 전략적이라고 보기 때문이다. 전략을 세우는 데 트렌드를 주목해야 한다면 그다음으로 이어질 질문은 이럴 것이다. "어떤 트렌드를 말하는 것인가요?" 나는 이러한 질문에 두 가지 트렌드라고 답한다. 첫 번째는 소비자 트렌드이고 두 번째는 바로 경쟁자 트렌드이다.

앞서 말한 것처럼 이제 거의 모든 산업에서 기업들은 시장의 주도권을 고객에게 넘겨준 상태이다. 따라서 기업들이 현재 목격하는 급격한 변화의 상당 부분은 고객의 변화에서 그 이유를 찾을 수 있다. 예전 같으면 패션 분야에서나 일어났을 법한 급격한 유행의 등장과 소멸 현상이 이제 다양한 분야에서 나타나고 있다. 특히 제과나 식품 음료업계에서 나타나고 있다.

한 제과회사는 IMF 이후의 경영 위기를 극복하지 못해 기업회생절차를 밟고 있었다. 그런데 새로 출시된 제품이 갑자기 폭발적인 인기를 끌면서 경영 지표가 놀랄 정도로 호전되는 행운을 겪었다. 대한민국 식품업계 전체로 퍼졌던 '허니버터' 유행은 그렇게 뜬금없이 시작됐다. 주목할 만한 맥락도 없이 등장한 이 허니버터 열풍은 업계 전체를 흔들어놓았다. 소매 점포마다 업주들은 "허니버터칩 있어요?"라고 묻는 손님들 때문에 몸살을 앓았다. 그래서 도매상들에게 전화하는 것이 아니라 아예 공장으로 트럭을 몰고 찾아와 "있는 대로 달라."고 말할 정도로 시장의 반응이 폭발적이었다.

제과회사는 예상치 못한 시장 반응에 잠시 어리둥절해하다가 급기야 모처럼의 주문 폭주에 고무되어 사내 자원을 공장 시설 증가에 투입하는 비상한 의사결정을 내리기에 이르렀다. 그러나 안타깝게도 전국을 강타했던 허니버터 열풍은 채 반년이 못 돼 사라졌다. 더욱이 부랴부랴 증설한 생산설비가 본격적인 가동을 시작할 무렵 주문이 뚝 끊겨 설비가 멈춰 서는 지경에 빠지게 됐다. 그렇다고 이렇게 급하게 추진된 생산설비 증설을 단순히 경영진의 무모한 의사결정이라고 치부해버리는 것은 무리가 있다. 하지만 트렌드 변화를 예측하는 사내 시스템이 제대로 갖춰져 있었더라면 하는 아쉬움이 남는 것도 사실이다.

지금도 수없이 많은 반도체 장비 업체가 이러한 현상을 겪고 있다. 반도체의 슈퍼 사이클 앞에서 시장의 성장을 제대로 예측하지 못해 구매자의 물량 요구에 대응하지 못하고 있다. 닌텐도도 Wii가 처음 나왔을 때 역시도 제대로 시장을 예측하지 못해 똑같은 현상을 겪었다. 콘솔게임 전문 애널리스트 제임스 린에 따르면 닌텐도는 초기 물량 예측 실패로 13억 달러(1조 5,000억 원)를 날려버렸다고 한다.

끊임없이 변화를 감지하라

'허니버터 열풍'에 대해서는 다양한 분석 작업이 이루어졌다. 사실 그 시작은 이렇다. 인기 연예인 한 명이 인스타그램에 "아주 맛있는 과자 발견"이라며 허니버터 과자 인증샷을 올렸다. 그러면서 SNS 공간에서 '허니버터 인증샷'이 하나의 대세가 되었던 것이다. 전문 조사기관이 트렌드를 전망하고 언론들이 그 내용을 보도한 뒤 유행이 시작되고 확산되던 기존의 트렌드 전파 프로세스에서 이탈한 것이다.

우리는 이렇게 예상치 못한 트렌드들이 속속 등장하고 있다는 사실에 주목해야 한다. 물론 그렇다고 해서 "이제 트렌드는 전혀 예측할 수 없어."라고 지레 포기해서는 안 된다. 그건 기업의 최고전략가인 경영자가 저질러서는 안 되는 또 다른 실책이 될 수 있다. 대신 사회 환경의 변화가 대중들의 욕구를 어떻게 자극할 수 있는지에 대한 니즈 트렌드를 파악하는 시스템을 갖출 필요가 있다.

1년에 한 번씩 혹은 분기에 한 번씩 발표되는 전통적인 시장조사 기관들의 발표는 예전처럼 신뢰하되 매일, 매주, 그리고 한 달 단위로 변화하는 사람들의 욕구 변화를 실시간으로 체크할 수 있는 사내 레이더를 갖춰야 한다. 포털 사이트를 실시간 검색어 등을 활용하면 좋다. 일간 혹은 주간 실시간 검색어나 월간 검색어 순위 등을 통해 현장에서 어떠한 것들이 주목을 받는지를 거의 실시간으로 알 수 있다. 경영 전략 수립에 필요한 트렌드를 알아보는 데

세종대왕함의 위상배열 레이더 작동 모습. 경영 현장에서도 이런 위상배열 레이더와 같이 전후방 3차원 공간을 모두 끊임없이 감지하는 시스템을 갖추고 있어야만 한다.

이러한 생생한 정보가 큰 도움이 되는 것이다.

다음으로는 경쟁자의 동향을 파악하는 것이다. 경쟁자들이 어떠한 방법으로 트렌드의 흐름을 읽고 시장 변화에 적응해나가는지 살펴봄으로써 트렌드를 읽어내는 데 도움을 받을 수 있다. 경쟁자가 어떠한 행동을 한다면 그것에는 분명한 이유가 있을 것이기 때문이다.

그리고 또 한 가지 간과해서는 안 되는 점이 바로 새로운 유형의 경쟁자가 언제 어디서든 갑자기 나타날 수 있다는 사실을 염두에 두어야 한다는 것이다. 그러기 위해 이제부터는 x축과 y축이 있는 평면적인 레이더가 아니라 z축까지 포함된 3차원 입체 레이더를 가동해야 한다. 이제는 평면적이었던 과거의 기준으로만 판별해낼 수 없는 새로운 유형의 경쟁자가 등장하고 있기 때문이다.

우리 해군의 이지스함인 세종대왕함은 최첨단 위상배열 레이더가 장착해 약 1,000킬로미터 거리에서 접근하는 탄도탄을 탐지하고 약 500킬로미터 밖에서 접근하는 표적 1,000개를 동시에 추적할 수 있다고 한다. 경영 현장에서도 이런 위상배열 레이더와 같이 전후방 3차원 공간을 모두 끊임없이 감지하는 시스템을 갖추고 있어야만 한다.

아날로그 필름 시장의 절대 강자이던 코닥이 후지필름이 아니라 전자제품 제조회사에서 만든 디지털 카메라에 의해 몰락했던 것도 이렇게 기존의 경쟁 구도가 아닌 완전히 새로운 방향에서 나타난 경쟁자 때문이었다는 것을 항상 염두에 두어야 한다.

미래 주도권 싸움이 치열하다

최근 우버와 구글이 격렬하게 싸우고 있다. 원래 우버와 구글은 매우 가깝고 우호적인 사이였다. 우버가 서비스를 제공하기 위해 사용했던 지도가 바로 구글의 오픈 API 중 하나인 '구글맵'이었다. 한편 구글은 우버의 사업 가능성을 알아본 초창기 주요 투자자 중

하나였다. 우버는 구글의 계열사처럼 보일 정도로 서로 긴밀한 사이라 전혀 싸울 이유가 없는 것처럼 보인다. 그런데 현재 이 두 기업은 격렬한 경쟁을 벌이고 있다. 과거와는 경쟁 패러다임이 바뀐 것을 드러낸다.

우선 왜 이런 일이 일어나는지 살펴보자. 우버는 다음 단계의 사업 모델로 무인 자동차 서비스를 기획했다. 무인 자동차를 통해 저렴한 가격과 편리성으로 대중교통을 대체하는 한편 나아가 차량을 '소유'에서 '활용'의 대상으로 바꾸려고 한 것이다. 우버의 서비스 이용 흐름은 이렇게 진행된다. 이용자가 우버 앱을 통해서 가장 가까이에 있는 차량을 호출한다. 그럼 해당 차량 운전자가 호출한 이용자가 있는 장소로 와서 태우고 목적지까지 이동한다. 이용자는 목적지에 도착한 후 앱 상에서 자신의 신용 카드 결제 등의 방법으로 요금을 내면 된다. 일종의 콜택시 서비스인 셈이다. 우버의 사업모델은 자체적으로 택시를 보유해 서비스하는 것이 아니라 자동차를 가진 사람들이 자신의 차량을 이용해서 일종의 택시 영업을 할 수 있도록 시스템을 만들어주고 그 과정에서 발생하는 서비스의 이용료를 받는 것이다.

그런데 앞으로 무인 자동차가 상용화되면 우버는 무인 자동차를 통해서 지금까지 해왔던 콜택시 서비스를 제공하는 한편 무인 자동차를 활용할 수 있는 관련 분야로 사업 영역을 더욱 넓혀 화물 운반 운송 서비스까지 제공하려 하고 있다. 우버는 그 계획을 위해서 포드 자동차 임원을 영입하는 한편 자동차 제조기업 볼보와 전략적

제휴를 맺었다. 볼보의 SUV 모델인 XC90S를 무인 자율 자동차로 개조해 현재 다양한 실험을 하고 있다. 곧 피츠버그 지역에서 시범 서비스를 한다고 한다. 사람이 운전하지 않는 자동차가 길에서 돌아다니는 공상과학SF 속의 장면이 이제 곧 현실이 되는 셈이다.

그런데 이런 우버의 무인 자동차 계획이 구글이 오래전부터 추진해오던 '자율주행 자동차' 프로젝트와 직접적으로 경쟁을 벌이게 된 것이다. 우버는 애플, 테슬라, 카네기멜론대학 연구소에서 자율주행 자동차를 연구하던 사람들이 함께 창업한 스타트업 기업 오토 모토를 7억 6,000만 달러를 들여 인수했다. 이로써 오토 모토가 연구하던 무인운송 트럭 서비스로 관련 사업을 확대하고 구글 자율주행 자동차 프로젝트의 초창기 멤버인 안토니 레반도프스키Anthony Levandowski를 무인 자율자동차 프로젝트 분야의 총책임자로 임명했다. 구글이나 우버가 이렇게 무인 자동차, 자율주행 자동차 분야로 진출해 각축을 벌이는 이유는 결국 무인 자율자동차에 의해 화물 운송 산업에서의 게임의 룰이 바뀐다는 것을 간파했기 때문이다. 실제로 운송업은 산업 특성상 인건비가 차지하는 비중이 매우 높다. 오토 모토의 무인 운송트럭이 상용화될 경우 화물 운송업계의 지각 변동은 불가피하다.

2015년 여름 발표된 맥킨지 보고서는 앞으로 이러한 무인 자율 자동차 기술을 가진 회사가 유통, 물류, 운송 산업을 지배하리라 예측하고 있다. 그뿐만 아니라 사람이 운전하지 않는 자동차가 보편화되면 그 파급효과는 단순히 자동차와 화물 운송업계에 머무는 것이 아니라 통신, 에너지, 전력, 금융 산업 등 거의 모든 산업으로 퍼져 나갈 것으로 예상된다. 결국 우버와 구글이 무인 자율자동차를 통해서 궁극적으로 꿈꾸는 것은 우리의 라이프 스타일을 완전히 바꾸려는 원대하고 담대한 계획인 셈이다.

그리고 자동차업계의 변화는 이렇게 무인 자율 자동차 경쟁에만 머물러 있지 않고 현재 전혀 다른 산업과의 과감한 접목이 급속하게 이뤄지는 중이다. 완성차 업계와 굴지의 IT 기업 간의 전략적 협력으로 자동차에 IT 기술이 대거 접목됨으로써 기존 산업의 영역을 뛰어넘는 대격변의 시대가 도래한 것이다. 그런데 이러한 전략적 협업은 경쟁의 대열에서 낙오한 완성차 브랜드를 도태시켜 버릴 위험이 있다. 즉 테슬라 모터스의 약진으로 대표되는 전기 자동차 업계 역시 화석 연료를 사용하는 기존 자동차 기업들이 지배하는 자동차 산업구조에 깊은 균열을 만들어내고 있는 것이다.

특히 전기 자동차는 제조에 필요한 기술이 매우 단순하다. 테슬라가 전기 자동차를 만드는 데 필요한 중요 기술과 특허를 모든 사람에게 공개했기 때문이다. 덕분에 대만의 컴퓨터 제조업체 에이서도 전기 자동차를 만들 정도로 신규 진입 장벽이 거의 허물어졌다. 이제 누구나 배터리 기술과 모터 구동기술만 있으면 전기 자동차를 만들 수 있는 시대가 된 셈이다. 이러한 현상을 증명하듯 애플은 전기자동차 생산을 위한 타이탄 프로젝트팀에서 전기차 관련 엔지니어를 대량 해고하고 있다. 대신 인공지능 기술자들을 대거 채용했다.

지금은 과거 산업 시대를 지배하던 패러다임이 거의 다 붕괴된 대격변의 시대이다. 당연히 이러한 거대한 변화는 게임의 룰까지도 바꾸고 있다. 그건 무슨 의미일까? 만약 우리가 이 거대한 변화의 방향을 정확히 읽고 그 거대한 파도에 올라탈 수만 있다면 예전에는 꿈도 꾸지 못했을 승리의 주인공이 될 수도 있다는 것이다.

비즈니스 모델은 전략 + α이다

4차 산업혁명으로 상징되는 거대한 변화에서 살아남고 성장할 수 있는 비장의 카드가 존재한다면 그것은 아마도 앞에서 말했던 '가치제안'일 것이다. 기업이 고객에게 어떠한 가치를 지속적으로 제공하느냐에 따라서 앞으로의 성패가 갈릴 것이라는 점은 의심의 여지가 없다. 내가 '3S 전략' 외에도 역점을 두고 강의와 컨설팅을 하는 주제가 바로 '비즈니스 모델'이다. 비즈니스 모델은 한마디로 말해 '한 기업이 돈을 버는 방법은 무엇인가?'이다. 나는 4차 산업혁명과 같은 변화의 시기에는 비즈니스 모델의 정의도 예전과는 달라야 한다고 생각한다.

앞으로 기업의 생존이 고객에게 제공하는 '가치제안'에 달려 있다는 주장에서 바로 이어지는 추가적인 주제가 바로 이 '비즈니스 모델'이다. 이 비즈니스 모델의 정의는 단순히 '어떻게 돈을 벌 것인가?'라는 평면적인 접근방법을 넘어 '고객에게 어떠한 가치를 제공하고(가치제안)' '그 가치를 어떤 방법으로 제공할 것이며(수익 모델)' '어떤 방법으로 이러한 사업을 운영할 것인가(운영 방식)'로 확장해야 한다고 생각한다. 이제 '비즈니스 모델'은 '기업이 고객에게 무엇을 어떻게 제공할 것인가를 결정해 수익을 창출하는 방법'이라고 할 수 있다. 즉 '전략 + α = 비즈니스 모델'이라는 것이다.

현재 세계에서 가장 핫한 기업으로 꼽히는 테슬라를 예로 들어보자. 테슬라가 전기 자동차 관련 많은 특허를 전격적으로 공개한 것을 두고 '시장의 크기를 키워서 수익 극대화를 꾀하고자 하는 야심'이라고 생각하는 사람들이 적지 않았다. 일견 타당한 주장처럼 보인다. 실제 그 덕분에 대만의 PC 제조업체인 에이서는 너무나 멋진 전기 자동차를 선보일 수 있었다. 이제 전기 자동차는 누구나 마음만 먹으면 만들 수 있는 상품이 된 것이다.

그런데 우리는 일론 머스크의 생각이 단순히 시장의 파이를 키우자는 것에 머물러 있지 않다는 데 주목해야 한다. 실제로 테슬라는 특허 공개를 통해서 새로운 수익원을 만들어낼 수 있었다. 전기차 시장의 확대를 꾀하는 동시에 '배터리 판매 시장'을 확보하기 시작한 것이다. 테슬라가 공개한 특허를 활용해 전기차를 만들면 테슬라의 전기 배터리를 사용할 수밖에 없게 된다. 테슬라가 파나소닉과 합작으로 세운 거대한 전기 배터리 제조공장인 기가 팩토리가 본격적인 가동을 시작했다. 이제 전기차를 만들 때 테슬라의 전기 배터리를 사용하는 것이 전략적으로 매우 합리적인 선택이 될 수밖에 없다.

물론 테슬라의 특허를 피해서 전기차를 제작할 수도 있다. 하지만 그 방법을 개발하는 데도 많은 자본과 시간이 필요할 뿐만 아니라 그것에 성공했다고 하더라도 전기 자동차에 필요한 배터리를 확보하기 위해서는 직접 전기 배터리 공장을 세우거나 납품을 받아야만 한다. 그러느니 차라리 테슬라의 특허를 활용해 전기차를 만들고 기가 팩토리에서 생산한 전기 배터리를 장착하는 것이 훨씬 효율적이고 현실적인 대안이다. 이를테면 서울에서 부산을 갈 때 지급해야 하는 고속도로 통행료가 부담된다고 직접 고속도로를 만든다면 얼마나 비현실적이고 무모한 낭비이겠는가 말이다.

결국 테슬라는 기가 팩토리를 염두에 둔 상태에서 관련 특허를 전격적으로 공개함으로써 전기차 시장의 본격적인 확대를 꾀한 전략적인 행동을 취한 것이라고 볼 수 있다. 덕분에 테슬라는 기가 팩토리가 생산한 전기 배터리의 안정적인 판매처를 손쉽게 확보할 수 있었던 것이다. 일론 머스크의 특허 공개와 기가 팩토리의 준공 등이 잘 짜인 전략의 성공적인 결과물이라는 사실은 '베터 플레이스'라는 이스라엘 전기차 업체의 실패에서도 짐작할 수 있다.

베터 플레이스는 '전기차의 애플'이라고 불리며 GE와 HSBC 홀딩스에서 10억 달러가 넘는 투자를 받으며 승승장구했다. 더욱이 '충전 방식'이 아닌 '배터리 교환 방식'이라는 획기적인 방식을 선택해 2010년 기준 기업 시장가치가 225억 달러에 달할 정도로 높은 평가를 받기도 했다. 그렇게 베터 플레이스는 테슬라보다 한

발 앞선 아이디어가 돋보이던 회사였다. 하지만 안타깝게도 결국 5년 만에 파산보호 신청을 하며 문을 닫고 말았다. 이스라엘 전국에 48개소의 배터리 교환소를 설치하겠다는 계획은 절반에도 못 미치는 20개소 개설에 그쳐 인프라 구축에 실패했다. 그 바람에 전기차를 구매하려는 고객들을 머뭇거리게 했던 것이다. 제아무리 좋은 아이디어를 가졌다고 하더라도 일개 기업이 전국 단위 시장을 홀로 커버한다는 것이 얼마나 무모한 일인지를 보여주는 사례이다.

반면 테슬라는 이스라엘보다는 훨씬 큰 미국 전역을 커버하기 위해서 더욱 정교한 전략을 구사했다. 특허를 공개함으로써 전기차 시장의 확대를 꾀했고 시장의 반응이 본격적으로 시작될 시점에는 기가 팩토리를 통해서 자사 규격의 전기차 배터리를 대량으로 공급했다. 경쟁자들이 충전소 부족이나 배터리 납품 문제 때문에 전기차 시장에 뛰어드는 것을 망설이지 않게 했다.

왜 「별에서 온 그대」는 제대로 돈을 벌지 못했을까

단언하자면 그동안 우리가 알고 있던 상식은 더 이상 상식이 아니다. 기존의 상식을 바탕으로 전략을 세운다면 원하는 성과를 얻기가 거의 어렵게 됐다. 과거 성공을 거뒀던 상식을 답습했다가 큰 이익을 놓친 사례를 어렵지 않게 찾을 수 있다. 최근 중국 시장에서 공전의 히트를 기록한 드라마 「별에서 온 그대」가 대표적인 사례 중 하나이다.

애초부터 중국 시장 판매를 염두에 두고 제작된 「별에서 온 그대」 제작사는 14억 인구를 겨냥한 TV 판권 수익이 목표였다. 그런데 주인공이 외계인이라는 이유로 공중파 TV 방영이 불가능해지고 말았다. 그 상황에서 제작사는 울며 겨자 먹기 식으로 온라인 TV 동영상 사이트인 아이치이에 6억 7,000만 원이라는 헐값에 판권을 넘겨주는 선택을 했다. 중국 시장에서는 TV 드라마를 실시간 스트리밍 서비스로 하기가 쉽지 않다는 시장조사 결과를 믿었기 때문이다. 그런데 중국 시장은 우리나라와는 달리 일반 유선 케이블 인터넷에서 광케이블을 거쳐 무선 인터넷으로 넘어가는 시장 발달 순서를 밟지 않았다. 곧장 무선 인터넷으로 건너뛰듯 넘어간 것이다. 제작사는 이러한 최신 현지 사정을 미처 몰랐던 것이다.

결국 "공중파가 돈이 된다."는 기존의 상식으로 중국 시장에 접근했던 제작사는 아이치이가 「별에서 온 그대」를 인터넷 동영상 플랫폼에서의 광고 수익으로만 1,000억 원이 넘게 벌어들이는 것을 보면서 속앓이를 해야 했다. 기존의 공중파와 인터넷 플랫폼의 관계에 대한 기존 상식을 지나치게 신뢰한 나머지 중국 시장의 거대한 변화를 미처 읽지 못했기 때문에 빚어진 비극이다.

지금 경영자들 앞에 목격되는 거대한 변화가 전례를 찾아보기 어려운 것이고 또 상당 기간 지속될 것이라는 사실에는 다들 이견이 없을 것이다. 결국 문제는 이런 경영 환경에서 어떻게 경영 전략을 세우고 실천해나갈 것인지의 그 극복 방안이다. 가장 경계해야 할 점은 변화에 대한 두려움에 빠져 경영 자원을 엉뚱한 방향에 쏟아붓는 것이다. 난데없는 폭발적 인기에 멍하니 있다가 부랴부랴 설비 증설에 나섰지만 갑작스러운 매출 감소를 만나 망연자실해하고 있는 허니버터칩이나 짙은 안갯속에서 갑자기 나타난 적군의 배에 놀라 무수한 화살을 퍼부어 댔던 조조군의 실책처럼 말이다.

내가 만난 적잖은 경영자들은 "미래를 어느 정도 예측만 할 수 있다면 얘기는 달라지는데 말입니다."라고 말하곤 한다. 경영 일선에서 오랜 시간을 보냈고 경험도 많은 경영자들이니만큼 현재의 변화가 매우 급격하고 극심한 것이라는 사실은 인정한다. 하지만 어느 정도 예측만 할 수 있다면 적응 방법을 찾아낼 수 있으리라는 '감'을 갖고 있기 때문일 것이다.

그렇다면 우리 앞에 불고 있는 이 격심한 변화를 과연 예측할 수 있느냐가 관건인 셈이다. 나의 대답은 물론 "예스."이다. 미래를 속속들이 모두 예측하는 것은 불가능하지만 경영 전략을 세우고 실행에 옮길 수 있을 정도의 예측은 가능하기 때문이다.

누가 먼저 '다음'을 예측할 것인가

전략에서 가장 중요한 것은 정확한 방향성과 타이밍이다. '사막의 폭풍' 작전으로 유명한 걸프전의 영웅 미국 국방장관 콜린 파월Colin Powell은 '의사결정의 법칙'이라는 말로 정보와 타이밍에 대한 귀중한 힌트를 증언한다. 바로 'P = up 40 to 70' 공식이다. 어떤 의사결정을 내리는 데 필요한 정보의 규모를 나타낸다. 필요한 정보가 40% 미만으로 모였다면 올바른 의사결정을 내리기에 너무나 위험한 상태이다. 반면 70% 이상의 정보를 수집했을 때는 이미 행동을 감행하기에 늦은 타이밍이다. 따라서 전략가의 냉정한 판단은 현재 수집된 정보가 필요로 하는 정보의 40~70% 정도 모였다고 생각되는 순간 이루어져야 한다는 것이다. 생사의 고비를 숱하게 넘기며 전쟁터에서 쌓아온 군인의 감感인 셈이다. 결국 콜린 파월은 이러한 감을 바탕으로 걸프전을 허무하리만큼 일방적인 미국의 승리로 끝낼 수 있었다.

전쟁뿐 아니라 극심한 변화에도 미래 예측은 가능하다는 것을 보여주는 사례는 많다. 그중 하나를 보자. 창업한 지 2년이 되도록 매출이 0원인 기업이 있다고 하자. 일반적으로 이 회사에 대해서 어떻게 생각할까? 아마 대부분은 더 늦기 전에 다른 일을 찾아볼 것을 권하며 안타까운 회사 사정에 "쯧쯧." 하고 혀를 찰 것이다. 그런데 놀랍게도 어떤 사람이 이 회사 대표에게 "당신 회사를 내게 파시오."라고 제안했다면? 더 놀랍게도 거래가 성사됐다면? 게다가 더 더 놀랍게도 인수 금액이 무려 우리 돈으로 1조 6,000억 원(11억 달러)이었다면 어떤 생각이 들겠는가? 실제 사례다. 그 매출액 0원의 기업을 산 사람은 바로 페이스북 CEO 마크 주커버그이다. 아마 이쯤 되면 다들 눈치챘을 테지만 그 기업은 바로 인스타그램이다.

스마트폰의 사진 꾸미기 앱으로 출시된 인스타그램은 이용자들에게 큰 인기를 끌었다. 하지만 출시 후 2년이 되도록 단돈 1달러의 매출액도 기록하지 못했다. 그러다 보니 11억 달러짜리 인수합병을 놀라워하는 사람들이 적지 않았다. 마크 주커버그는 당시에 어떻게 인스타그램을 인수할 생각을 했을까? 모든 거래에는 저마다의 이유가 있는 법이다. 세계 최고의 IT 기업 CEO인 주커버그가 11억 달러짜리 인수합병 의사결정을 했다면 그만한 판단의 근거가 분명 있을 것이다. 우리는 그의 판단에서 귀중한 시사점을 얻을 수 있을 것이다.

몇 해 전만 해도 처음 만나는 사람과 명함을 주고받을 때 "이게 제 싸이 주소예요."라는 말을 흔하게 들을 수 있었다. 하지만 요즘에는 "페이스북 주소는 명함 아랫부분에 있습니다."라는 말을 자주 듣게 된다. 그만큼 많은 사람이 페이스북을 이용하고 있는 것이다. 사용해본 사람들은 익히 알겠지만 페이스북은 텍스트 기반의 SNS이다. 4K 동영상이 일반화되는 요즘 IT 환경의 기준으로 본다면 앞선 서비스라고 볼 수는 없다. 물론 페이스북도 블로그처럼 사진을 첨부할 수도 있고 동영상 스트리밍 기능도 추가되었지만 그 기반이 여전히 텍스트인 것만은 사실이다.

그럼에도 우리는 페이스북은 성공했다는 사실에 주목해야 한다. 페이스북이 경쟁이 없는 시장에 진출했기 때문에 성공한 것은 아니다. 마이스페이스와 치열한 생존경쟁을 벌여야 했다. 또 200자짜리 단문 서비스로 한때 주목을 받던 트위터도 텍스트 기반의 SNS였다. 어쨌든 페이스북은 이 모든 텍스트 기반의 SNS와의 경쟁에서 이겼다. 덕분에 세계에서 가장 많은 사람이 이용하는 최고의 SNS가 될 수 있었다. 그리고 그 영향력을 기반으로 다양한 광고사업을 벌이면서 어마어마한 돈을 벌어들이는 알짜기업이 될 수 있었다.

그렇지만 마크 주커버그의 머릿속에는 끊이지 않는 걱정거리가 있었다. 바로 '텍스트 기반 SNS에 대한 대중들의 인기가 사라지는 것'이었다. 돌이켜보면 최근 10여 년 동안 참으로 많은 IT 관련 서비스가 등장했다가 사라졌음을 알 수 있다. 지금은 이름도 가물가물한 심마니나 엠파스라는 검색엔진도 있었다. 구글이 나타나기 전 인터넷 세상의 주인공이었던 야후는 라이코스나 알타비스타라는 강력한 경쟁자들과 치열하게 싸우고 있었다. 그렇지만 지금 그 모든 서비스가 사라지고 오로지 구글 하나만 남아 있다. 물론 야후가 명맥을 이어가고는 있지만 구글의 경쟁자라고 부르기에는 너무나 큰 격차가 벌어진 상황이다.

그리고 또 한 가지 분명한 사실은 언젠가는 분명 페이스북의 인기가 시들 것인데 그 시기가 생각보다 훨씬 빠를 수 있다는 것이다. 그동안 IT 업계를 평정한 새로운 강자가 나타났다 사라지는 추세를 고려해보면 마크 주커버그에게 '페이스북의 넥스트'에 대한 고민이 항상 있었으리라는 것을 쉽게 짐작할 수 있다. 이때 그가 생각한 '페이스북의 넥스트'가 11억 달러를 주고 사들인 인스타그램이라고 볼 수 있다. 아마도 그는 텍스트 기반 SNS의 다음이 '이미지 기반의 SNS'일 것이라는 결론에 도달했을 것이기 때문이다. 바로 신인류인 포노 사피엔스의 출현을 예견한 것이다. 포노 사피엔스는 스마트폰 없이 생활하는 것을 힘들어하는 세대를 말한다. 이코노미스트는 2020년에 포노 사피엔스의 인구가 60억 명이 되리라 예측한다. 마크 주커버그는 폰으로 읽을 수 있는 텍스트의 한계를 미리 안 것이다.

그런데 우리가 주목할 것은 상당한 이용자를 확보하고 있던 플리커나 핀터레스트 등도 이미지 기반 SNS인데 왜 인스타그램을 선택했는가이다. 여기서 포인트는 '이미지 기반 서비스'와 '소셜 네트워크 서비스SNS'라는 두 가지다. 사람들의 기호가 텍스트에서 이미지로 옮겨가고 다시 동영상으로 이동하는 것은 특정한 개별 기업이 막을 수 있는 성질의 변화, 즉 트렌드가 아니다. 따라서 이런 경우의 전략적인 선택은 적합한 서비스를 직접 만들기Build보다는 트렌드에 올라탈 수 있는 시점에 맞춰 적합한 서비스를 사들이는 방법Buying이 매우 영리한 선택이라고 할 수 있다.

인터넷 서비스 이용자들의 취향 변화가 워낙 빨라서 새로운 서비스를 직접 구축하기보다는 적합한 서비스를 주목하고 있다가 사들인 다음 소비자들에게 선보이는 것이 더 효과적이라는 사실은 그동안 여러 차례 확인된 바 있다. 구글이나 유명 거대 IT 기업들이 깜짝 놀랄 만큼 큰 금액을 주고 인수합병을 한 것이 다 그런 맥락에서 결정된 대표적인 사례이다.

페이스북의 인스타그램 인수에서 놓쳐서는 안 될 또 다른 포인트는 페이스북이나 인스타그램 모두 '소셜Social한 네트워크' 서비스라는 점이다. 통찰력을 갖고 본다면 SNS는 끊임없이 변하지만 소셜 네트워킹하려는 사람들의 욕구는 전혀 변하거나 줄어들지 않았다는 것을 알 수 있다.

시대를 읽는 통찰력이 필요하다

싸이월드를 이용했던 사람들이 네이버 블로그로 모두 옮겨가고 다시 트위터나 페이스북으로 갈아탔다가 인스타그램으로 향하는 것. 이것이 지금까지의 추세다. 이러한 흐름에서 변하지 않는 것은 타인과의 관계를 통해서 커뮤니케이션하고 싶어 하는 이용자들의 욕구, 즉 '소셜 네트워킹'에 대한 갈증이다. 싸이월드, 블로그, 페이스북, 인스타그램 모두 이용자들의 이러한 욕구를 충족시켜주는 다양한 형식이었을 뿐이다.

이러한 타인과의 교감을 주고받는 네트워킹에 대한 인간의 욕구는 매우 오래된 것이다. 오래전에는 연인이나 친구와 편지를 주고받으며 관계를 키웠던 사람들은 이후 삐삐를 통해서 그리고 휴대폰을 통해서 더 손쉽게 연락을 주고받을 수 있게 됐다. 하지만 어떤 형식을 취하든 결국 사람들이 원하는 '소셜한 네트워킹' 욕구는 변하지 않는다. 마크 주커버그가 인스타그램을 페이스북의 미래로 키우겠다는 결심을 굳히게 된 이유이다.

그리고 그 큰돈을 주고 인수를 했음에도 페이스북은 인스타그램에서 아무런 수익활동도 하지 않고 이용자 규모를 늘리는 데만 집중했다. 마이스페이스와의 경쟁에서 승리할 수 있었던 가장 중요한 원인이 바로 '이용자 규모'였다는 사실을 잘 알았기 때문이다. 그렇게 인스타그램의 이용자를 적극 늘린 결과 2012년 초 약 3만 명이던 이용자 수는 2016년 여름 무려 5억 명으로 폭발적인 성장을 이뤄냈다.

인터넷 서비스의 성공 관건은 누가 얼마나 좋은 서비스를 선보이느냐보다 누가 얼마나 더 빠르게 성장하느냐에 달려 있다. 결국 인스타그램은 이용자를 늘리기 위한 페이스북의 집중적인 투자에 힘입어 이미지 기반 SNS를 평정하는 '사실상의 기준De Facto Standard'이 될 수 있었다. 이렇게 인스타그램이 사실상 이미지 기반 SNS 시장을 장악하게 되자 본격적인 수익 활동을 시작했다. 2011년에 매출 제로였는데 2015년 말에는 약 44억 달러의 광고 매출을 기록하게 됐다. 결국 마크 주커버그의 통찰과 판단이 옳았다는 것이 증명된 셈이다. 우리가 급변하는 경영 환경의 변화를 '어떻게 바라볼 것인가?'에 대한 좋은 레퍼런스가 된다.

통찰력Insight이란 무엇인가. '인사이트Insight'라는 단어는 '인In'과 '사이트Sight'가 합쳐진 것이다. 즉 통찰력은 밖으로 드러난 것만을 보는 것이 아니라 안에 숨겨져 있는 것까지 꿰뚫어보는 힘이다. 결국 짙은 안갯속에 서 있는 것과 같은 경영 환경인 뷰카에서 올바른 전략을 세우기 위해서는 변화의 본질이 무엇인가를 꿰뚫을 수 있는 '통찰력'이 필요하다는 것이다.

전략적 직관은 키워지는 것이다

가장 통찰력 있는 인물로는 누가 있을까? 아마 애플의 CEO 스티브 잡스나 투자 전문가 워렌 버핏 등을 떠올릴 것이다. 거의 천재로 취급받는 사람들이다. 그렇다면 과연 통찰력은 천재처럼 타고난 재능을 가진 사람들만의 능력일까? 내가 재직하는 IGM 세계경영연구원은 오래전부터 이 문제를 연구해왔다. 그리고 그 결과 우리는 자신 있게 "통찰력은 훈련을 통해 키워지는 것이다."라는 결론에 도달했다. 또한 그러한 통찰력을 기를 수 있는 체계적인 훈련 방법이 다양한 현장에서 실제로 적용 가능하다는 사실도 충분히 확인했다. 따라서 더욱 자신 있게 말할 수 있다. "통찰력은 훈련을 통해 키워지는 것이다."

우선 통찰력 있는 인물로 손꼽히는 스티브 잡스나 워렌 버핏을 통해서 힌트를 얻을 수 있다. 버핏은 통찰력의 비결을 묻는 말에 이렇게 간단명료하게 대답한 바 있다. "읽고 읽고 또 읽어라Read, Read, Read." 그는 활자중독증 환자라는 별명이 있을 정도로 신문과 독서광으로도 유명하다. 그는 매일 새벽 『월스트리트 저널』을 마지막 글자 한 자까지 모두 꼼꼼하게 읽으며 하루를 시작했다. 덕분에 그가 살고 있는 오마하 지역으로 배포되는 『월스트리트 저널』 첫 번째 배달판은 늘 그의 집에 놓인다고 한다. 워렌 버핏과 같은 사람도 끊임없는 독서를 통해 자신만의 통찰력을 쌓아간다는 것은 시사하는 바가 매우 크다. 끊임없는 노력으로 경험과 지식을 많이 쌓을수록 그 사람이 바라보는 시야는 더욱 넓어지는 것이다.

이러한 사실은 '더닝 크루거 효과Dunning-Kruger effect'를 통해서도 과학적으로 입증된다. 어떤 사안에 대한 경험과 지식을 x축으로 하고 확신의 정도를 y축으로 하는 그래프가 더닝 크루거 효과를 보여주는 결과치이다. 이제 막 경험과 지식을 갖기 시작하는 초반에는 확신의 정도가 높게 나타난다. 그러다가 경험과 지식이 쌓일수록 점차 낮아지다가 경험이 준전문가 수준에 이를 때 최저를 기록한다. 그 이후에는 완만하게 확신의 정도가 높아진다. 하지만 전문가 수준에 이르고서도 처음 가졌던 확신의 정도를 회복하지 못한다. 이런 더닝 크루거 효과는 "무식하면 용감하다."는 우리 속담을 떠올리게 한다.

우리 두뇌 속의 뉴런과 시냅스로 구성된 지식 네트워크는 경험

더닝 크루거 효과

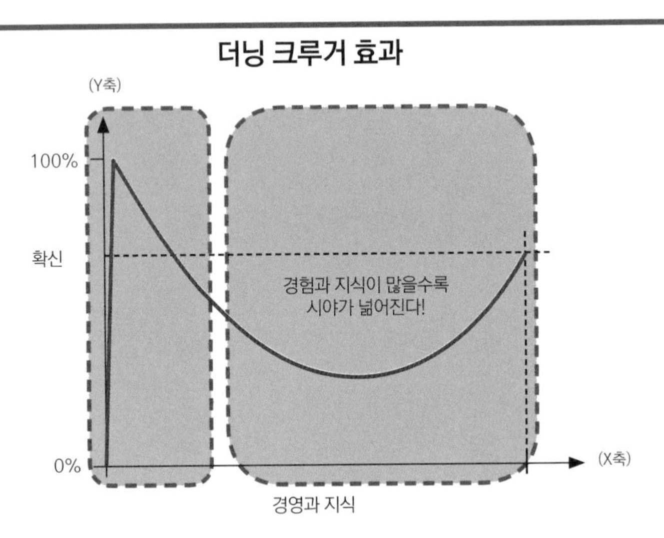

배울수록 시야는 넓어진다.

과 지식이 많아질수록 더욱 두꺼워진다. 전문가들은 이것을 '뇌의 가소성'이라는 말로 설명한다. 뇌의 가소성은 사람이 나이를 먹어 가면서 퇴화하거나 사라지는 것이 아니라 쓰면 쓸수록 지속적으로 더 커진다고 한다. 다시 말해 스티브 잡스나 워렌 버핏 그리고 마크 주커버그만큼의 통찰력을 갖는 것이 지금 당장에는 불가능할지 모른다. 하지만 평범한 사람들도 끊임없는 지식의 습득과 독서 그리고 풍부한 경험으로 얼마든지 그들과 같은 통찰력을 갖출 수 있다는 것이다.

이렇게 중요한 통찰력을 경영 현장의 다른 말로 바꿔보면 '전략적 직관Strategic Intuition'이 될 것이다. 기업을 위기에서 구해내고 승리의 길로 이끌 수 있는 리더의 결정에는 이런 통찰력 혹은 전략적 직관의 힘이 강하게 작용한다. 많은 사람이 반대하고 동의하지 않는 결정을 실행하는 용기를 가지려면 끊임없는 지식의 습득과 훈련이 필요한 것이다. 아무튼 셀프 트레이닝에 의해서 잡스나 버핏과 같은 통찰력을 가질 수 있다는 말은 경영자들에게 한 가닥 희망의 소식이라 할 수 있겠다.

당신은 미래를 뚫고 나갈 전략가인가?

3장

페스트 분석과 나인 블록

- 거시환경 분석으로 불확실성을 없애라

S t r a t e g y 4 . 0

트렌드의 변화와 그 흐름을 파악하라

경영 현장에서는 지식을 습득하기 위해 끊임없는 노력을 계속해야겠지만 당장의 성과를 내는 것도 중요하다. 따라서 매 순간 '어떤 것을 배우고 계속 주목해야 하는가?'라는 선택과 집중의 문제가 남는다. 모르는 것을 배우는 것은 당연한 일이다. 하지만 뜻밖에 많은 경영자가 자신이 무엇을 모르는지 모른다. 더 심각한 현상은 모르는 것을 안다고 착각하는 것이다.

그렇다면 우리는 '불확실성 시대의 안개'를 걷어내고 올바른 방향성을 찾기 위해 어떠한 것에 관심을 두어야만 할까? 이에 대한 가장 현실적이고 효과적인 해답은 '트렌드'이다. 트렌드의 변화와 그 흐름의 방향을 효과적으로 파악함으로써 얻을 수 있는 기대 효과는 크다.

우선 전략 수립을 하는 데 필요한 정보의 수집 과정에서도 트렌드는 주목해야 할 가장 중요한 사안이다. 동시에 경영자들이 불확실성 시대의 안개를 헤치고 앞으로 나아가는 데 필요한 지식과 통찰력 역시 트렌드에서 찾는 것이 가장 효과적이다. 그래야 시장이 앞으로 어떻게 흘러갈 것인지 파악할 수 있다. 시장의 주도권을 쥐고 있는 고객에 대해서도 유효한 통찰을 얻을 수 있다. 또한 경쟁자와 공급자에 대한 시사점을 찾아가는 데도 효과적인 수단이 될 수 있다.

특히 여러 종류의 트렌드 중에서도 '소비자 트렌드'와 '경쟁자 트렌드'라는 두 가지에 주목할 필요가 있다. 전략 수립에 필요한 모든 트렌드를 알 수 있으면 좋겠지만 그럴 시간적인 여유가 없기 때문이다. 우선적으로 이 두 가지 트렌드에 초점을 맞추고 의사 결정에 필요한 최소한의 필수적인 정보 수집과 분석에 들어가 보자.

변화 속 균열에서 사업 기회를 찾아라

2011년 일본 동북지방을 강타한 대지진과 쓰나미 소식은 TV와 인터넷을 통해 실시간으로 전 세계에 퍼졌다. 그중 가장 비극적인 장면은 후쿠시마 원자력 발전소 일부의 폭발 모습이었다. 이후 발전소 내부에 있던 방사능 물질이 외부로 누출될지 모른다는 소식이 들리기 시작했다. 그 위험성에 대한 언론보도가 잇따르면서 덩달아 일본산 수산물에 대한 각국의 수입금지 조치가 연이어 내려졌다. 우리나라 사람들 머릿속에 일본산에 대한 빨간색 경고등이 켜지게 된 것은 당연한 반응이었다.

한편 CJ는 이러한 천재지변이 소비자 의식에 어떤 변화를 가져올지 주목했다. 10여 년 넘게 범세계적인 트렌드로 자리 잡으며 소비시장 전체에 막대한 영향을 미친 '웰빙 트렌드'는 후쿠시마 원전 폭발 뉴스와 합쳐져 그 영향력이 더욱 커질 것으로 판단했다. CJ는 후쿠시마 원전 폭발이 경영 환경에 어떠한 영향을 미칠 것인가를 면밀히 조사하고 검토한 후 새로운 사업을 론칭한다는 결론에 도달했다.

시장 점유율 70%라는 놀라운 수치를 기록하며 론칭 후 해마다 높은 수익을 내는 알짜사업이 된 'CJ 연어 통조림'은 그렇게 시작됐다. 주목해야 할 부분은 CJ가 연어 통조림이라는 새로운 카테고리로 큰 성공을 거두기 이전에 유사한 사업인 참치 통조림 사업에 뛰어들었다가 실패하고 시장에서 철수하는 굴욕을 겪었다는 점이다. 그렇다면 우리에게는 자연스럽게 '참치는 실패했는데 연어는 어떻게 성공했지?'라는 궁금증이 생기게 마련이다. CJ 통조림 연어 사업은 예측 불가능한 경영 환경의 변화를 어떻게 사업 성공의 밑거름으로 바꿀 수 있는지에 대해 훌륭한 레퍼런스가 될 수 있다. 불확실성의 안개를 걷어낸 좋은 사례이기 때문이다.

CJ는 창사 이래 국내 식품 외식업 산업에서는 늘 톱클래스의 위치에 있었지만 유독 수산물 분야에서만큼은 뚜렷한 성공을 거두지 못하고 있었다. CJ가 참치 통조림 사업에 뛰어들었던 것은 너무나 자연스러운 수순이었다. 하지만 이 시장에는 사조산업과 동원산업이라는 막강한 경쟁자가 버티고 있었다. 이 두 기업의 역사가 바로 참치 통조림 시장의 역사나 다름없었다. 강력한 브랜드 인지도는 물론이고 전 세계 참치 어획량의 상당수를 차지하는 경쟁자들이었기 때문이다. 결국 이렇게 '참치 통조림' 시장에서 강력한 수직계열화를 이루고 있던 사조산업과 동원산업 사이를 비집고 들어간다는 것은 계란으로 바위 치기와 다를 바 없었던 일이다.

그렇게 해서 CJ의 '바다로 가자'던 야심은 참치 통조림 사업의 실패로 훗날을 기약한 채 관심에서 사라져가고 있었다. 그런데 영원할 것만 같았던 참치 통조림 시장의 판도에 조금씩 균열이 나타나기 시작했다. 해양 동식물 먹이사슬의 최정점에 있는 참치가 계속되는 해양 오염의 상징물로 부상하기 시작한 것이다. 바다로 흘러드는 각종 오염물질을 먹고 성장한 플랑크톤을 작은 물고기들이 섭취하고 그렇게 오염물질이 축적된 작은 물고기를 다시 큰 물고기가 먹게 되는 먹이 사슬 과정에서 위로 올라갈수록 체내 축적 정도가 높아질 수밖에 없다는 것이다.

그리하여 이제 사람들의 인식 속에 '참치는 중금속에 오염됐다'는 생각이 조금씩 들어섰다. 또 전 세계적으로 불고 있는 웰빙 트렌드와 맞물려 참치의 대체재에 대한 필요성이 대두됐다. 그런데 문제는 참치라는 고급 어종을 대체할 만한 것이 보이지 않았다는 것이다. 고등어, 꽁치, 정어리 등은 참치 수요를 대체하기에는 역부족이었다. 하지만 소고기나 돼지고기 등이 충족시켜줄 수 없는 수산물만의 고유한 영역이 분명히 존재했다. CJ는 가장 고급어종이던 참치의 위상이 흔들리는 것이 하나의 기회가 될 수 있다고 생각하고 다시 면밀한 시장 조사에 들어갔다.

소비자들은 중금속 오염 참치에 대해 불안을 느꼈지만 소고기나 돼지고기 등으로 옮기지는 않았다. 이에 CJ는 소비자들에게는 다른 수산물로도 채워지지 않는 고급 어종 제품에 대한 욕구가 분명히 존재한다는 사실을 파악했다. 결국 참치를 대체할 만한 고급 어종을 상품화할 수만 있다면 가능성이 충분하다는 결론에 도달했다. CJ는 '통조림 연어'라는 새로운 카테고리에서 사업 성공 가능성을 발견하고는 고급화된 포장 패키지와 다양한 맛의 제품군 그리고 '청정지역 알래스카에서 잡은 연어'라는 대대적인 광고 홍보를 통해서 전에 없던 시장을 창출하는 데 성공을 거두게 됐다. CJ는 2013년 통조림 연어를 선보인 그 해 매출 100억 원을 달성했고 불과 2년 후인 2015년에는 600억 원의 매출과 시장 점유율 70%라는 경이적인 실적을 일궈냈다.

우리가 이 사례에서 눈여겨보아야 할 것이 있다. CJ가 웰빙 트렌드나 후쿠시마 원전 폭발과 같은 경영 환경의 변화에서 통조림 연어라는 새로운 사업 아이템을 찾아내기까지의 일련의 의사결정 프로세스이다. 첫 번째는 지진이나 원전 폭발과 같은 기업이 전혀 통제할 수 없는 변수들의 발생을 어떻게 새로운 사업 아이템의 가능성으로 연결할 수 있었는가이다. 두 번째는 중요 트렌드를 중심으로 새로운 사업 아이템을 찾아 나가기까지의 분석 과정이다. 이러한 프로세스를 찾아서 그 분석 노하우를 체화시킨다면 우리 앞에 놓인 불확실성의 안개는 어느 정도 거둬낼 수 있을 것이다. 그리고 그 가운데서 새로운 가능성을 발견하는 것 역시 가능할 것이다.

'다섯 개의 눈'으로 경영 환경 분석을 하라

CJ가 '통조림 연어'라는 완전히 새로운 제품으로 성공을 거둘 수 있었던 '다섯 개의 눈Five Eyes'의 첫 번째는 경영 환경의 변화에 늘 촉각을 세우고 있었기 때문이다. 참치 통조림 사업에서 실패했지만 언젠가는 다시 진출해야 하는 수산물 관련 산업의 트렌드를 예의 주시하면서 절치부심 끊임없이 기회를 엿보고 있었다. 그 덕분에 참치의 중금속 오염 문제가 대두되고 후쿠시마 원전 폭발 등의 문제가 생겼을 때 수산물 관련 산업에 끼칠 영향에 대해 민감하게 반응할 수 있었다.

이렇게 경영 전략을 수립하고 실행에 옮기는 과정은 경영 환경을 분석하는 작업에서부터 시작되어야 한다. 이러한 분석 작업은 단계별 접근이 필요하다. 웰빙 트렌드, 후쿠시마 원전 폭발, 쓰나미와 같은 변수들은 특정 기업이 미리 사전에 통제하거나 관리할 수 없다. 매우 거시적인 차원에서 일어나는 변화이다. 경영 전략의 시작점은 바로 거시환경 분석이다. 그다음으로 우리 사업이 속한 산업 차원의 트렌드 분석 작업이 뒤를 이어야 한다. 그렇게 거시환경과 산업 환경 분석이 끝나면 직접적으로 우리와 경쟁을 벌이는 '경쟁자 분석'이 이어진다. 가장 마지막으로는 이러한 모든 차원에서의 트렌드와 각종 사안에 대한 분석 작업만큼이나 중요한 '소비자 분석'과 '자사 분석'이다. 경영 환경 분석은 이러한 단계로 진행되는 것이 효과적이다.

나는 이렇게 전략 수립을 위해서 계층별로 이루어지는 순차적 분석 작업을 '다섯 개의 눈'이라고 부른다. 그 가장 윗단계가 바로 '거시환경 분석'이다. 이 단계는 특정 국가 혹은 특정 산업을 넘어서는 광범위한 단위에서 일어나는 변화이다. 따라서 특정한 개별 기업의 힘만으로는 바꾸지 못하는 사안들이 우리 사업에 미칠 영향들을 다루게 된다. 기업 차원에서 그 변화를 통제한다거나 관리할 수는 없다. 하지만 모든 기업에 영향을 끼친다는 점에서 매우 중요하다. 사전 예측하고 그에 대한 대비책을 점검해봐야 하기에 거시환경에 대한 분석은 필요하다.

예를 들어 우리 사업에 영향을 줄 수 있는 정치적인 요소는 없을까를 미리 가정해보고 대응방안에 대해 생각해봐야 한다는 의미이다. 북한 핵 문제에 대응하기 위해 주한미군이 들여오는 사드 THAAD라는 무기가 중국의 격렬한 반발을 불러일으켰다. 그러면서 중국 진출 우리 기업들이 직접적인 영향을 받았다. 중국 공연을 앞

두고 있던 우리나라 뮤지컬 공연이 줄줄이 취소되거나 중국 단체 여행객들의 발길이 하루아침에 끊겼다. 개별 기업이 이런 국가 간의 정치적 결정에 대해서 영향력을 행사하거나 통제할 수는 없다. 하지만 기업이 사업하는 데 직접적인 영향을 받는 만큼 그 흐름을 정확히 파악해야 한다.

이런 정치적인 요소 말고도 사업에 영향을 미치는 거시적인 차원에서의 트렌드 변화는 다양하다. 기업은 경제적인 요인의 변화로도 직격탄을 맞을 수 있다. '오일 쇼크'가 대표적인 사례이다. 지난 1970년대 중동의 석유수출국기구OPEC가 유가를 하루아침에 두세 배씩 올리는 바람에 석유 수입국들의 경제가 삽시간에 아수라장에 빠져 극심한 혼란을 겪었다. 또한 1990년대 말 IMF 관리경제 위기하에 환율이 급등해서 우리나라 기업들이 큰 어려움을 겪었다.

이 외에도 사회 문화적인 변화도 있을 수 있고 법적인 요소도 있을 수 있다. 초고층 건물로 인한 교통 지체 현상 등이 사회적인 불편을 가져오면서 예전에는 존재하지 않던 법 규정이 생겨나 사업에 영향을 주기도 한다. 서울 잠실 제2롯데월드가 교통영향 평가를 받기 위해서 3,000억 원 가까운 비용을 지출한 것도 예전에는 없던 새로운 법적 환경의 변화로 기업이 큰 영향을 받았던 사례에 속한다.

그리고 기타 환경적인 요소, 인구학적인 요소, 윤리적인 요소에서의 변화도 사업에 직접적으로 영향을 주는 거시환경에서의 변화라 할 수 있다. 또한 급격한 기술 발달도 이 차원에서 빼놓을 수 없는 환경 분석에서의 필수 점검요소가 되고 있다.

'페스트' 분석으로 리스크를 관리하라

거시환경에서 일어나는 변화를 사전에 통제하고 관리할 수는 없다. 하지만 우리는 그로 말미암아 발생하는 리스크까지도 전혀 대비할 수 없는 것은 아니다. 리스크를 어느 정도까지는 예측할 수 있기 때문이다. 가장 위험한 상황은 예측할 수 있는 리스크를 찾아내지 못해서 대비하지 못하는 것이다.

이렇게 기업이 통제하는 것이 불가능한 거시환경을 더 쉽고 일목요연하게 분석하는 데 유용한 도구가 바로 '페스트PEST 분석'이다. '페스트'는 정치적Political, 경제적Economical, 사회 문화적Socio-cultural, 기술적Technological 요소를 뜻하는 네 단어의 머리말 조합이다. 이로써 정치적, 법률적 규제 등의 요소를 파악하고 경제의 성장 전망과 고용 사정의 변화, 국제 무역 환경의 변화, 인구 절벽 현상으로 소비재 기업들이 입는 영향, 고객들의 기대감이나 가족구조의 변화, 그리고 정보통신 기술의 급격한 발달이 가져오는 다양한 경영 환경의 변화 등을 한눈에 알아볼 수 있다.

사회가 예전과는 비교할 수 없을 만큼 복잡해졌다. 그러면서 우리가 속한 산업에 대한 규제와 근로 및 안전과 관련된 법규 등이 신설되기도 한다. 그뿐만 아니라 국내법과 다를 바 없는 법적 효력을 가지는 국제 조약이 체결되기도 한다. 역으로 기업활동을 보다 원활하게 하도록 각종 규제를 완화해주기도 한다. 어떤 산업에서는 강력한 영향력을 행사하던 공기업을 민영화하는 일도 일어날 수 있다. 그리고 산업 구조조정 등의 변화도 있다. 이 네 가지 기준 이외에도 '환경적Environmental 요소'와 '법적Legal 요소'를 추가한 '페스텔PESTEL 분석'도 가능하다.

예를 들어 냉장고의 냉매로 사용되던 프레온 가스가 지구 온난화에 큰 영향을 끼친다는 과학적 분석이 나오자 세계 각국이 앞다투어 사용을 금지했다. 거시 차원의 분석도구에 '환경적 요소'를 더할 필요성을 느끼게 해주는 사례이다. 한발 더 나아가 기업의 사회적 책임과 기업 윤리를 요구하는 목소리가 날로 높아지는 상황에서는 2017년부터 나타나는 '인구절벽 현상' 등과 같은 변화를 고려한 인구학적Demographic 요소와 윤리학적Ethics 요소를 더한 '스티플드STEEPLED 분석'으로 확장시킬 수도 있다.

다음 도표는 국내의 한 식품가공 기업에 대한 컨설팅에서 다뤘던 페스트 분석이다. 정치, 경제, 사회 문화, 기술 등의 네 가지 항목으로 나누어 항목마다 해당 기업이 받게 되는 영향을 분석해 요약 정리한 것이다.

정치적인 측면에서 소비자 단체의 영향력이 점점 더 커지고 있다. 친환경 제품의 범용화 요소 등과 맞물려 그 영향력이 더욱 커

돈육가공 업체의 페스트 분석

정치	경제	사회 문화	기술
• 중소기업 전용 제품 확대 • 할인점 영업 규제, 세율 확대 • CO_2 규제, 친환경제품 범용화 • 통일과 소비인구 증가 • 소비자 단체의 영향력	• 인당 GDP 증가 • 근로시장 정규직 축소 • 소량 구매 급등 • 중국 돈가 급등 • 자유 무역 블록화 • 돼지고기 FTA 확대	• 출생률 감소 • 기대수명 증가 • 1인 가족 증가 • 여행 인구 증가 • 먹방 유행 • 마트 성장 정체 • 건강 기능 지향	• 모바일 환경평가/QR 코드 활용 • 육가공 기술 상향 평준화 • 냉해동 기술 진화 • 다품종 소량 생산

돈육가공 업체의 페스트 분석 도표

질 수 있는 상황이다. 또 경제적인 측면에서 제품의 구매 패턴이 점차 소량화되고 있다는 점과 FTA 등의 영향으로 값싼 외국산 돼지고기의 수입 문턱이 지속적으로 낮아지고 있다는 점 등을 알 수 있었다. 사회 문화적인 측면에서 주목해야 하는 변화로는 대형 할인마트 등의 기존 유통 채널의 성장이 정체 상태로 들어가고 있다는 것, 이에 비해 온라인 채널의 급격한 성장이 계속되고 있다는 점이다. 출생률 감소, 기대수명의 증가, 1인 가구 등의 보편화 현상은 돈육의 소비 패턴 역시 변화시킬 것이 분명해 보여 중장기적인 대책 마련이 시급하다. 한편 기술적인 측면에서의 변화는 육가공 기술이 상향 평준화된다는 점에서 위험 요인이 있고 냉해동 기술의 발달은 돈육의 보관 및 운반 과정에 긍정적으로 작용할 것이다.

이 회사의 경영진과 조직원들은 이런 페스트 분석을 통해 자신들의 사업에 영향을 미치는 거시환경 요소가 무엇인지에 대해 훨씬 명확하게 알게 됐다. 그뿐만 아니라 어떤 분야에 더욱 집중해야 하는지에 대해 판단을 내릴 수 있게 되었다. 실제로 이 회사는 중장기적으로 자원을 집중해야 할 경영 목표의 우선순위를 정할 수 있었다. 첫 번째는 출생률 감소와 기대수명 등의 증가 그리고 1인당 GDP의 증가라는 변화를 통해서 향후에는 '실버와 키즈 시장'으로 목표시장을 다양화할 필요가 있다는 결론에 도달할 수 있었다.

또한 웰빙 트렌드에 따른 '안전한 먹거리'가 더욱 보편화될 것이기 때문에 유기농 친환경 사육 환경 등의 조성으로 차별화를 꾀한다는 목표도 명확하게 할 수 있었다. 이외에도 온라인 채널의 구축에도 역점을 두는 한편 1인 가구 증가 현상에 발맞추어 소용량 제품의 판매와 간편식 제품의 출시를 꾀하는 데도 시사점을 얻을 수 있었다.

페스트 분석은 현재 자신의 사업에 영향을 주거나 가까운 미래에 영향을 미칠 것이 분명한 사안들을 보다 명확하게 파악하게 한다. 이전까지 통찰력 있는 경영자 혹은 능력 있는 임직원들이 개개인의 차원에서 갖고 있던 일종의 '암묵지'가 조직원 모두가 확인 가능한 '형식지'로 바뀐 것이다.

'페스트 SVS' 분석으로 미래를 엿보아라

페스트 분석은 이렇게 우리 사업에 영향을 준다. 우리가 통제 관리할 수 없는 거시환경적인 변화에 대해 더욱 명확하게 그 실체를 인식하고 조직원들이 공유할 수 있게끔 해주는 유용한 툴이기 때문이다. 하지만 편리한 만큼 단점도 분명히 존재한다. 이를테면 페스트 분석은 외부 환경 평가라는 측면에서는 지나치게 단순하다는 지적이 있다.

예를 들어 페스트 분석에서 나타난 '기대수명의 증가'를 보자. 우리는 이 사실을 알기 위해서 분석 작업을 하는 것이 아니다. 우리 사업과 어떠한 연관성을 갖는지를 질문할 수밖에 없다. 기대수명의 증가는 곧 '노령 인구의 증가'로 이어질 수밖에 없고 인구분포의 유형 또한 중장년층이 많은 항아리형 구조에서 윗부분이 많고 중간 이하 연령대가 홀쭉한 모습으로 변해간다는 뜻이다. 그러면 결국 이러한 인구 통계학적 변화가 어떤 형태로 우리 사회 구성원들에게 영향을 주게 될 것이고 기존의 가족 구조에도 어떠한 파급효과를 가져올 것인지에 대해 더욱 구체적인 추가 분석이 필요하다. 바로 기업들이 혹은 조직이나 개인들이 페스트 분석을 통해서 얻고자 하는 것이다.

우리가 알고자 하는 것은 변화 그 자체가 아니라 그로 말미암아 어떠한 영향을 받게 될 것인가이다. 하지만 페스트 분석만으로는 우리가 원하는 것을 알아내기 어렵다. 그래서 단점을 보완하기 위한 아이디어들이 연구됐고 보완책이 마련됐다. 바로 브라우델이 발전시킨 '페스트 SOS 분석*'이다. 기업들의 전략 수립에 훨씬 유용하도록 좀 더 명확하고 의미 있는 정보를 담을 수 있게 되었다. 나는 이것을 국내 경영 환경과 기업들의 상황에 조금 더 맞도록 '페스트 SVS 기법'으로 변형해서 사용하고 있다.

여기서 등장한 'SVS'라는 것은 현재 나타나는 현상들이 앞으로 거시환경 혹은 사회 전체에 어떤 영향을 미칠 것인지 예측해보는 것을 말한다. S는 '슈퍼피셜Superficial 혹은 서피스Surface'의 약자로 언론 보도 등을 통해서 피상적으로 눈에 드러나는 현상들을 분석하는 것이다. 그리고 V는 '밸류Value'로 페스트 분석으로 드러난 항목별 변화들이 사회의 가치관에 미치는 영향을 분석하자는 것이다. 마지막 S는 '스트럭추얼Structural'의 약자로 이러한 변화들이 사회에 미치는 구조적인 변화가 무엇인지를 파악하는 것이다.

페스트 분석은 거시환경 차원에서 현재 드러나고 있거나 이미 발생한 여러 가지 변화들을 네 가지 항목으로 구분 지어 나타내는 도구이다. 반면 SVS는 페스트 분석으로 드러난 '현재의' 결과들이 앞으로 우리 사회에 어떻게 영향을 미치게 될지에 대한 '미래' 분석 도구이다. 페스트 분석의 부족한 점을 이 SVS 분석으로 채워 넣을 수 있다. 따라서 이 두 가지 분석 도구는 각기 독립된 것이 아니라 함께 사용해야 효과적이다. 우선 페스트 분석을 통해 도출된 항목들을 다시 SVS 분석으로 2차 구분해 나오는 결과물들은 좀 더

* 브라우델은 SOS 분석이라 했다. 하지만 나는 가운데 O가 의미하는 가치관적 의미를 강조하기 위해 SVS라고 부른다.

돈육가공 업체의 페스트 SVS 분석

트렌드 키워드. 유기농	S (피상적 의미)	V (가치관적 의미)	S (구조적 변화)
P(정치적 환경)	• 중소기업 전용 제품 확대 • 할인점 영업 규제, 세율 확대 • CO_2 규제, 친환경제품 범용화	• 싸고 질 좋은 제품 선호 • 친환경, 유기농 인증 선호	• 유기농 인증제 확산 • 식품위생법 등의 강화 • 대기업의 참여 한계
E(경제적 환경)	• 근로시장 정규직 축소 • 중국 돈가 급증 • 자유 무역 블록화	• 절약 소비 실천 • 중국산 식재료 비중 증가	
S(사회적 환경)	• 기대수명 증가 • 1인 가족 증가 • 여행 인구 증가	• 소량 포장 대중화 • 편리한 조리법 선호 • 실버/키즈용 선호	• 가정간편식 시장의 확대
T(기술적 환경)	• 육가공 기술 상향 평준화 • 다품종 소량 생산	• 가공 단가 인하 • 다양한 종류 선호	• 푸드 테크의 비약적 발전

SVS 분석으로 조금 더 명확해진 페스트 분석의 결과들

일목요연하게 현재 거시환경에서 나타나는 각종 트렌드와 변화들이 앞으로 어떻게 우리 사회에 영향을 줄 것인지를 파악할 수 있게 해준다.

앞의 도표는 조금 전의 사례에서 등장했던 식품가공 업체의 페스트 분석을 SVS 분석을 더해 보완한 결과이다. 정치, 경제, 사회문화, 기술적인 환경으로 분석된 각각의 결과물들이 다시 SVS라는 기준을 통해서 재정렬됐음을 알 수 있다. 우리는 이를 통해 우리 사업을 둘러싼 거시환경에서 어떠한 트렌드와 변화들을 주목해야 하는지를 알 수 있게 됐다. 더 나아가서 그러한 거시환경의 변화들에 대해서 보다 자세하게 그 성격을 명확히 구분할 수 있게 됐다.

예를 들어 정치적 환경의 변화인 'P' 항목의 구조적 변화이자 'S'

칸에 있는 항목 중 하나인 식품위생법의 강화나 유기농 인증제와 같은 변화들은 정치적인 변화에서 등장한 것이다. 하지만 결국 그것은 일시적인 변화가 아니라 더 근본적인 변화, 즉 구조적인 변화가 될 것이라는 사실을 알 수 있다. 페스트 SVS 분석을 통해서 유기농 인증제나 식품위생법의 강화는 변할 수 없는 기정사실이 됐음이 드러났다. 그 결과 이 식품가공 기업은 이러한 변화에 하루빨리 적응해야만 한다는 시급한 경영 과제가 자연스럽게 도출이 됐다.

그런데 이 페스트 SVS 분석 툴에 대해서 교육과 컨설팅을 진행하다 보면 "전에 해봤던 툴인데 별로 효과가 없었어요." 하는 이야기를 종종 듣는다. 예전과는 달리 우리나라 기업들도 이미 세계적인 경쟁력을 갖추고 있다. 그러다 보니 어지간한 경영 기법이나 분석도구에 대해서는 이미 직접 경험해봤거나 익히 들어 알고 있다. 문제는 항상 '알지만 실천이 안 되거나' '실천은 했으나 효과가 없거나'이다. 이런 경우 한 가지 팁을 드리자면 레퍼런스 사이트에서 우리 사업과 연관성이 높은 정보로 분석해보라는 것이다. 이들 레퍼런스에서 제공하는 다양한 정보와 트렌드들이 모두 우리 사업에 영향을 주는 것은 아니기 때문이다.

당연한 말처럼 들릴 수 있지만 교육이나 컨설팅이 끝나고 직접 페스트 SVS 분석을 하던 클라이언트들에게 도움을 요청받아 보면 이렇게 연관성이 별로 없는 정보들을 놓고 씨름하는 경우가 적지 않다.

레퍼런스 사이트

정치	• 한국무역협회 http://www.kita.net • 대한민국 국회 http://www.assembly.go.kr • 통일연구원 http://www.kinu.or.kr
경제	• 한국경제연구원 http://www.keri.org • 한국조세재정연구원 http://www.kipf.re.kr • 한국개발연구원 http://www.kdi.re.kr • 한국은행 http://www.bok.or.kr • 기획재정부 http://www.mosf.go.kr • 현대경제연구원 http://www.hri.co.kr/
사회 문화	• 국가통계포털 http://kosis.kr • 한국노동연구원 http://www.kli.re.kr • DMC리포트 http://www.dmcreport.co.kr • 한국갤럽조사연구소 http://www.gallup.co.kr/ • 닐슨코리아 http://www.nielsen.com/kr/ko.html • 나스미디어 http://www.nasmedia.co.kr/ko/index.do • Buzzsumo http://buzzsumo.com/
기술	• 한국과학기술정책연구원 http://www.stepi.re.kr • 정보통신정책연구원 http://www.kisdi.re.kr • 한국특허정보원 http://www.kipi.or.kr • 한국정보화진흥원 https://www.nia.or.kr/ • 랭키닷컴 http://www.rankey.com/
환경	• 에너지경제연구원 http://www.keei.re.kr • 환경부 http://www.me.go.kr • 생활환경정보센터 http://www.iaqinfo.org

정보에서 팩트와 숫자만 골라내라

우리가 의사결정의 판단 근거로 삼거나 경영 전략을 수립하기 위해 수집하는 정보들이 오염된 것일 수 있다. 그런 정보를 무비판적 판단 근거로 삼는 것은 위험할 수 있다. 요즘과 같은 시대에는 마음만 먹으면 얼마든지 훌륭한 정보를 손쉽게 구할 수 있다. 하지만 그 정보에 누군가의 의도나 개인적인 의견이 들어가 오염됐다면 판단이 오염될 가능성이 높다. 기자나 해당 언론사의 시각에 의해 왜곡되거나 재구성된 현실을 실제로 오인하게 될 수도 있다는 것이다.

우리는 어떤 언론 기사를 정보로서 접할 때 그것이 사실인 팩트Fact만을 다룬 것인지 아니면 작성한 기자의 의견Opinion이 담긴 것인지를 판단할 필요가 있다. 실제로 언론들은 사실 기사와 기자나 편집진들의 시각이 담기는 의견 기사를 구분해오고 있다. 워렌 버핏이 매일 아침 정독한다는『월스트리트 저널』과 같은 신문들은 전통적으로 중요한 정보 습득 채널이다. 이런 신문에 실리는 기사들은 몇 가지 형태로 분류할 수 있다. 이를테면 논쟁의 여지가 없는 분명한 사실 그 자체, 즉 '팩트'만을 다루는 '스트레이트 기사'가 있고 '의견 기사' '피처 기사' '논설' 등의 다양한 종류의 기사가 있다. 예전에는 이러한 기사의 종류가 엄격하게 구분이 됐는데 요즘 들어서는 많이 희석됐다.

우리가 페스트 분석 등을 위해 필요한 정보들은 대부분 '스트레이트 기사'에 속한다. 이 스트레이트형 기사는 단어의 뜻처럼 달리 해석될 여지가 없는 명확한 성격의 기사다. 기사를 작성한 기자의 판단이나 선입견이 들어가지 않았기 때문에 정보 분석 등에 필요한 자료이다. 언론 기사를 참조할 때는 이런 스트레이트 기사를 참고하는 것이 좋다. 실제로 기자의 판단에 따라서 어떻게 기사의 전체적인 뉘앙스와 방향이 바뀌는지는 언론을 통해 보도됐던 실제 기사를 가지고 알아보도록 하자.

삼성전자가 2017년 4월 '갤럭시 S8'을 출시할 무렵 국내 주요 언론사인 『조선일보』는 '갤럭시 S8에 사활 건 삼성'이라는 제목을 달았다. 삼성전자가 갤럭시 노트7의 악몽을 잊기 위해서 이 제품에 얼마나 공을 들였는지에 대한 내용이었다. 다분히 기자의 시각이 짙게 담긴 기사라고 볼 수 있다. 언론사는 기사 제목만으로도 독자들에게 자신들의 생각을 주입시키는 효과가 있다. 우리는 그것이 팩트인지 의견인지를 구분할 필요가 있다. 이를테면 한때 세상을 떠들썩하게 했다가 나중에 사실이 아닌 것으로 드러났던 '쓰레기 만두 파동'과 같은 기사들이 그런 경우다. 이미 이 기사를 읽은 사람들의 머릿속에는 '이 만두는 쓰레기다'라는 일종의 선입견이 들어서기 때문이다.

애플의 아이폰 7이 나왔을 때 쏟아졌던 언론 기사들의 제목을 한번 살펴보면 언론 기사가 어떻게 사람들의 생각을 프레이밍할 수 있는지를 짐작해볼 수 있다. '아이폰 7, 애플의 상징 '혁신'은 없었다.' '좋아 보이는데 좀 심심하다.' 이러한 제목의 기사들이 같은 날 일제히 쏟아져 나왔다. 신문으로 기사를 읽는 독자이든, 인터넷으로 기사를 읽는 독자이든 동시에 나오는 이런 기사들을 읽으면서 '아이폰 7이 그다지 혁신적이지는 않은 제품이로구나.' 하는 선입견을 품게 된다. 이로써 당연히 '애플=혁신'이라는 핵심 브랜드 가치는 희석될 수밖에 없고 아이폰 7의 판매량에도 어느 정도의 영향을 미칠 수밖에 없다.

팩트 디톡스 테이블

제목	좋아 보이는데 좀 심심하다	저자	○○○ 특파원
자료 출처	매일경제	날짜	2016년 9월 9일
카테고리	IT 과학	핵심 키워드	애플. 아이폰7 발표
패스트 앤 스코어	• 애플의 CEO 팀 쿡이 아이폰7 출시를 발표 • 아이폰7의 주요사양은 전작보다 발전된 카메라, 방수, 방진 기능이 추가 • 이어폰 단자를 없앤 무선 이어폰 '에어팟' 발표		
기사의 견해	• 전작보다는 근사해 보이지만 상상을 뛰어넘는 혁신은 없었음. • 아이폰, 애플워치, 아이패드 외에 이어폰까지 굳이 충전해 사용해야 하는지 의문. • 3차 출시국 명단에도 없는 한국은 애플의 '호구' 같은 시장.		

분석 자료로 필요한 것은 기자의 생각이 아닌 '팩트'와 '숫자'이다.

결국 페스트 SVS 분석을 위한 기초 자료로 언론보도를 읽을 때는 이렇게 선입견으로 작용될 만한 부분들을 배제하고 읽을 필요가 있다. 필요한 것은 '팩트'와 '숫자'일 뿐이다. 그것으로 말미암아 생기는 견해는 직접 가져야 하기 때문이다. 이렇게 언론 기사에서 팩트와 숫자만을 분리할 수 있는 간단한 도구가 '팩트 티톡스 테이블Fact DeTox Table'이다. 위 도표는 아이폰 7 출시에 맞춰 보도된 기사 중 하나로 작성된 것이다. 이것을 참조로 기사를 읽고 나서 직접 작성해보면 어떤 것이 팩트이고 어떤 부분이 기자의 견해인지를 정확하게 구분해낼 수 있다.

지금까지 급변하는 경영 환경에서 불확실성의 안개를 걷어낼 수 있는 현실적인 방법이 무엇인지를 살펴보았다. 모든 변화를 다 알 수는 없다. 하지만 정보 수집과 분석 그리고 일정한 분석도구를 사용한다면 충분히 도움을 받을 수 있을 것이다. 우리 사업에 영향을 미치는 변화와 그에 따른 영향을 예상할 수 있고 시사점을 도출할 수 있을 것이다.

플랫폼 기업에서 비즈니스 모델을 찾아라

여기서 잠깐 4차 산업혁명과 플랫폼 기업의 등장에 대해 살펴보겠다. 불확실성의 시대를 몰고 온 가장 큰 기류는 분명 4차 산업혁명이다. 그리고 이 새로운 기류를 선도하는 것이 바로 플랫폼 기업이기 때문이다.

4차 산업혁명이 몰고 온 거대한 변화는 개별 기업들에만 미치는 것이 아니어서 미국, 일본, 독일, 중국 그리고 우리나라와 같은 주요 경제 선진국들에도 국가적 로드맵 수립의 필요성을 갖게 했다. 우수한 기술을 개발해 경제를 이끌어가거나 발 빠른 추격자 전략으로 경제를 발전시킨다는 과거의 경제발전 모델이 빠르게 힘을 잃어가고 있기 때문이다. 우리 정부도 현재 4차 산업혁명의 파도를 이기기 위해 국가 차원의 대응전략을 적극 모색하는 중이다. 앞서 언급한 주요 경제 선진국들의 대응 전략을 참고하는 것도 하나의 방법이 될 수 있다.

다음 도표는 미국, 독일, 일본 그리고 중국이 4차 산업혁명에 대

주요국의 4차 산업혁명 접근 전략 비교

구분	미국	독일	일본	중국
어젠다	산업인터넷	인더스트리 4.0	로봇신전략	중국제조 2025
시기	2012년 11월	2011년 11월	2015년 1월	2015년 5월
플랫폼	클라우드 중심 플랫폼	설비단말 중심 플랫폼	로봇 중심 플랫폼	설비단말 중심 플랫폼
추진 주체	• IIC(Industry Internet Conscrtium, 2014년 3월) • GE, 시스코, IBM, 인텔, AT&T 등 163개 관련 기업과 단체	• 플랫폼 인더스트리 4.0(2013년 4월) • 독일기계산업협회, 독일정보통신산업협회, 독일공학한림원, ZCEI 등 관련기업과 산업단체	• 로봇혁명실현회의(2015년 1월) • 로봇혁명 이니셔티브협의회(148개 국내외 관련 기업과 단체)	• 국가제조강국건설전략자문위원회(2015년 6월) • 민간기업 등으로 구성된 전문 자문위원회 설립 예정
기본 전략	• 공장 및 기계설비 등을 클라우드에서 지령으로 처리 • 인공지능 처리와 사이버공간의 현실화 전략	• 공장의 고성능 설비와 기기를 연결해 데이터 공유 • 제조업 강국의 생태계를 살려 현실공간의 사이버 전략	• 로봇기반 산업생태계 혁신 및 사회적 과제 해결선도 • 로봇화를 기축으로 사물인터넷, 사이버물리시스템 혁명 주도	• 노동 집약형 제조업을 기술 집약형 스마트 제조업으로 전환 • 정보기술을 활용한 생산 스마트화로 제조업 품질을 제고해 제조강국 대열 진입

미국, 독일, 일본, 중국 등 주요 4개국의 4차 산업혁명 접근 전략

응하는 국가적 접근 전략을 일목요연하게 정리한 것인데 눈여겨볼 점은 국가별로 차이점과 공통점이 있다는 것이다. 4개국의 어젠다와 플랫폼이 약간씩 차이가 있다. 이를 놓고 '어느 나라가 옳다.'고 해석하는 것은 적절치 않다. 각자 처한 상황이 제각각이기 때문에 각자의 현재 상황에서 가장 유리한 방법을 취할 수밖에 없기 때문이다. 결국 우리가 주목해야 할 포인트는 '플랫폼'이다. 기차를 탑승하기 위한 승강 장소를 의미하는 플랫폼을 4개국 모두 공통으로 내세우는 이유를 짚어볼 필요가 있다.

왜 이들 주요 경제 선진국들이 모두 플랫폼을 국가적 어젠다로 표방하고 있을까? 미국은 '산업 인터넷'이라는 어젠다를 표방하면

서 '클라우드 중심'의 플랫폼을, 독일은 '인더스트리 4.0'을 추진하면서 '설비 단말 중심의 플랫폼'을, 일본은 '로봇신전략'이라는 어젠다를 중심으로 '로봇 플랫폼'을, 중국은 '제조 2025'라는 어젠다를 중심으로 '설비와 단말 중심의 플랫폼'을 통해 4차 산업혁명에 대비하고 있다. 그런데 모두 '이러이러한 플랫폼'을 말하고 있다. 이 말은 이들 주요 국가들 모두가 4차 산업혁명이 곧 '플랫폼 혁명'이라고 판단한다는 뜻이다. 내가 최근에 가장 활발하게 연구하고 강의하는 '비즈니스 모델'도 결국은 비즈니스의 모든 것을 플랫폼 관점에서 재구성해야 한다는 것이다.

'나인 블록'으로 수익 창출 구조를 이해하라

실제로 이 플랫폼이라는 개념으로 눈부신 성공을 거두는 기업들이 시장의 주목을 받고 있다. 이를테면 테슬라나 에어비앤비와 같은 기업들이 모두 플랫폼 비즈니스 혹은 플랫폼 기업이다. 에어비앤비나 테슬라와 같은 플랫폼 비즈니스를 보다 쉽게 이해하기 위해서는 먼저 '나인 블록9Blocks'을 알아야 한다. 한 기업이 영위하는 비즈니스를 한눈에 살펴볼 수 있도록 해주는 것이다.

기업이 어떠한 제품이나 서비스를 통해 고객들에게 가치를 전달했을 때 그 가치제안을 고객이 수용하면 대가를 지급하게 된다. 그

비즈니스 전체를 보여주는 개념 '나인 블록'

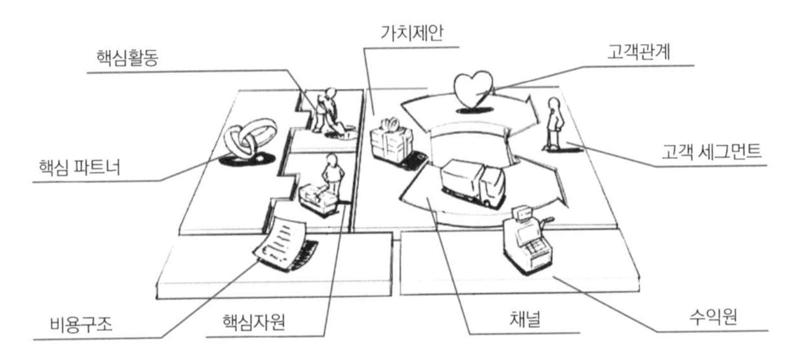

리고 그 가치제안은 기업의 핵심 자원과 핵심 파트너에 의한 핵심 활동에 따라 만들어진다. 그렇게 만들어지는 제품이나 서비스는 유통 채널을 통해 고객에게 제공된다. 이 모든 활동의 비용구조를 절감하고 고객과의 관계를 보다 돈독하게 유지 발전시키는 것이 경영의 주요 과제이다.

그리고 기업들은 이러한 일련의 모든 활동을 통해서 수익을 창출한다는 것이 '나인 블록' 개념이다. 결국 기업이 수익을 올리는 과정을 아홉 개의 프로세스 덩어리로 구분할 수 있다는 것이다. 주요 경제 선진국들이 4차 산업혁명에 대비하기 위한 국가적 접근 방법에 '플랫폼'이 있는 이유를 이해하는 데 이 '나인 블록' 개념이 효과적이다.

테슬라, 에어비앤비, 우버, 카카오 같은 기업들은 '플랫폼 비즈니스'라는 하나의 카테고리로 묶을 수 있다. 이들 기업들은 먼저 고객들을 움직일 수 있는 핵심적인 가치를 제안해 일정 규모 이상의 사용자들을 단기간에 확보하며 플랫폼 비즈니스를 형성해 나가기 시작한다. '나인 블록'에서 '고객'이라는 단일한 블록이 조금 더 세분화되는 것이다. 나는 이것을 'C&C(Cutomer, community & Crowd)'라고 부른다. 플랫폼 기업들은 'C&C'에 그들의 가치제안을 어필한다. 이 과정에서 커뮤니티와 크라우드들이 보다 적극적으로 기업의 가치제안에 반응하게 된다.

요즘의 고객들은 과거와 달리 적극적으로 자신들의 취향을 기업 게시판이나 인터넷 공간 등을 통해 표출한다. 이런 고객들을 일컬어 '프로슈머Prosumer' 혹은 '리서슈머Research+comsumer'라고 부른다. 바로 'C&C'인 셈이다. 이들 C&C의 적극적인 활동 과정이 기업들이 구축해놓은 웹사이트와 같은 플랫폼에 고스란히 데이터로 축적된다. 그럼 기업들은 이 방대한 데이터를 고객관계관리CRM와 빅데이터로 활용하게 된다. 다음 그림 「플랫폼의 거래구조도」에서 보듯 기업은 플랫폼을 만든다. 그럼 플랫폼을 중심으로 기업이 제공하는 가치제안이 고객이 생산하는 데이터와 교환되는 거래가 발생한다. 이 플랫폼은 기업이 특정한 알고리즘을 활용한 인공지능AI 기저로 만들어진다. 이를 위해 외부로부터의 강한 자산 유입이 발생하게 된다.

또 이렇게 축적된 빅데이터는 사람이 아닌 컴퓨터 프로그래밍이나 훌륭한 알고리즘 또는 알파고나 왓슨과 같은 인공지능을 통해서 기업의 전략수립과 경영에 활용되고 있다. 차량 공유 기업인 우

플랫폼의 거래구조도

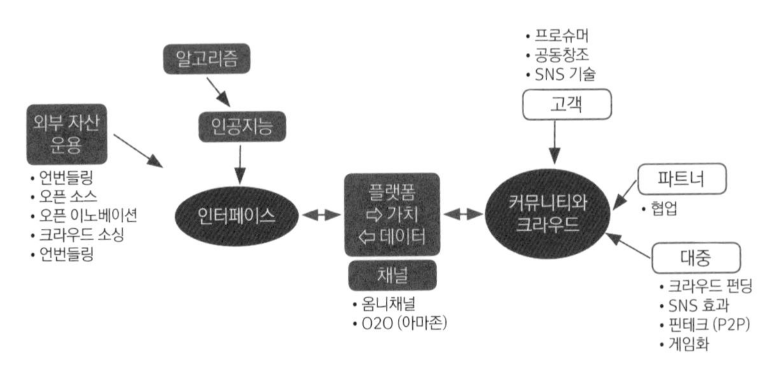

버가 뜬금없이 핀테크 사업에 나서고 숙박 공유 기업인 에어비앤비가 빅데이터를 말하는 이유가 거기에 있다. 그리고 구글이나 애플이 모든 기업에 가장 강력한 잠재 경쟁자인 이유도 거대한 규모의 데이터를 갖고 있기 때문이기도 하다.

결국 내가 4차 산업혁명을 '플랫폼 혁명'이라고 말하는 이유는 플랫폼을 통해서 'C&C'에서 만들어진 빅데이터가 인공지능 등을 통해서 새로운 가치를 만들어내고 이것이 다시 고객들인 C&C 쪽으로 향하는 새로운 가치제안이 되기 때문이다. 카카오가 이용자 수가 많다는 것만 믿고 인터넷 은행이라는 핀테크 사업에 뛰어든 것이 아니라는 점이다. 그리고 이러한 새로운 비즈니스가 창출하는 수익이 전통적인 오프라인 기업들의 그것보다 괄목할 만큼 높다는 사실이 드러나고 있다.

에어비앤비의 기업가치는 300억 달러이다. 세계 곳곳에 지점을 두고 20만 명의 종업원을 고용하고 있는 메리어트 인터내셔널 호텔의 시가총액 340억 달러를 턱밑까지 추격한 것이다. 단기에 그런 빠른 성장을 할 수 있었던 것은 수익구조가 구조적으로 탁월하기 때문이다. 『하버드 비즈니스 리뷰HBR』는 이들 플랫폼 기업들의 가격대비 매출 비율PSR이 전통적인 오프라인 기업들에 비해 4배나 높다고 설명하고 있다. BMW, 월마트, 메리어트 호텔과 같은 전통적인 기업들이 고객들에게 가치를 제안하기 위해서는 공장, 고도로 숙련된 종업원, 넓은 매장과 창고 시설, 그리고 부동산이라는 자산이 필요하다. 하지만 에어비앤비나 우버는 서버와 인터넷 네트워크 그리고 숙련된 프로그래머와 서비스 운영 인력만으로도 가능하기 때문이다.

게다가 플랫폼 기업들은 새로운 가치를 제안하기 위해서 내부 인력을 충원하거나 새로운 자산을 매입하는 것이 아니라 위워크와 같은 외부 자산 그리고 '주문형 스태프'와 같은 방법으로 필요할 때 필요한 만큼만 가져다 쓰고 있다. 그렇기 때문에 4차 산업혁명에서의 새로운 비즈니스 모델에 대한 모범 사례는 플랫폼 기업들에서 찾을 수 있다고 생각한다.

당신은 미래를 뚫고 나갈 전략가인가?

5 포스 모델과 퓨처스 힐

- 산업구조분석과 고객 프로파일링 분석으로 전략 포인트를 찾아라

우리 산업의 매력도를 측정하라

산업 차원에서의 변화를 제대로 분석하기 위해서는 여러 가지 경영 분석도구가 있다. 여기서는 그중 한 가지를 집중적으로 살펴볼 것이다. 먼저 왜 우리가 속한 산업을 분석하고 살펴봐야 하는지부터 생각해볼 필요가 있다. 기업들이 많은 시간과 자원을 들여 전략을 수립하고 실행하는 것은 결국 '이익' 때문이다. 치열한 경쟁을 감수하는 것도 같은 이유에서이다. 어떤 산업이나 어떤 시장이 돈을 벌 수 없고 이익이 나기 어려운 환경으로 변화하고 있다고 하자. 그럼 우리가 굳이 그곳에서 사업을 지속할 이유가 있을까? 따라서 우리가 속한 산업의 현재를 아는 것이 중요하다.

산업 환경의 분석을 위한 경영 분석도구로는 하버드대학의 그 유명한 마이클 포터 교수가 말한 '5 포스 모델5 Forces model'이 대표적이다. 그는 경쟁자, 공급자, 구매자, 신규 참가자, 대체품의 다섯 가지 경쟁요소들의 종합적인 경쟁 강도가 한 산업 내의 잠재적인 경쟁 환경을 결정한다고 설명했다. 한 산업 내에서 우리 기업에 압력을 가하는 요소들이다. 따라서 어느 한 가지 경쟁요소의 힘이 강해지는 것만으로도 개별 기업은 가격 인상 등의 방법으로 이윤을 얻을 여지가 줄어든다. 마이클 포터는 이를 두고 "산업 매력도가 낮아진다."고 표현했다.

마이클 포터의 '5 포스 모델'을 통해서 얻을 수 있는 것은 결국 우리 기업이 속한 산업 환경과 산업 내 경쟁 강도를 통해 시장의 매력도를 분석함으로써 수익성이 높은 전략을 수립할 수 있다는 점이다. 같은 산업 내에서도 끊임없이 선도 기업이 뒤바뀌는 것이 지금의 경영 현실이다. 마이클 포터의 산업 내 경쟁 동향을 계속적으로 읽어야만 한다는 주장에 동의하지 않을 수 없다.

실제로 1980년 『포브스』가 선정한 글로벌 IT 톱 10 기업 중 30년 후인 2010년에도 순위권 내에 남아 있는 기업은 IBM이 유일할 정도로 IT 산업 내의 경쟁과 변화는 극심하다. 게다가 그 IBM조차도 1980년대에는 메인 프레임 컴퓨터를 제조 판매하던 하드웨어 회사였지만 현재는 IT 서비스를 제공하는 소프트웨어 기업으로 완벽하게 탈바꿈했다. IBM을 비롯해 1980년대에 선정된 10대 기업들은 모두 공장을 보유하던 제조 기반 IT 기업이었다. 하지만 현재는 애플과 삼성만이 제조 기업이다. 더욱이 공장을 가진 기업은 삼성전자밖에 없다. 그 정도로 IT 업계의 산업 환경은 전혀 다른 모

산업 매력을 결정하는 요소들

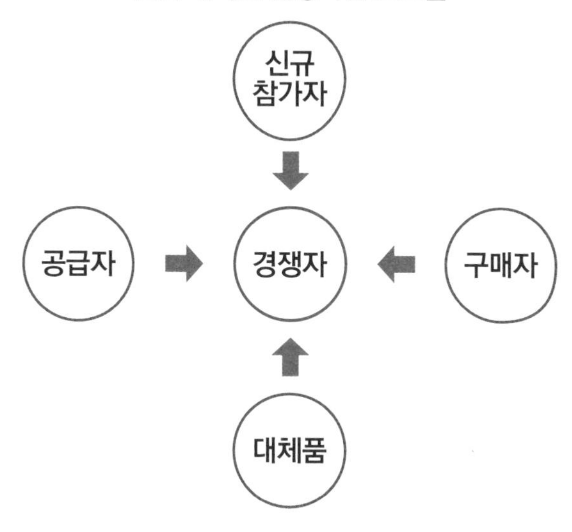

습으로 변화한 것이다.

그뿐만 아니라 현재의 글로벌 IT 10대 기업들은 모두 스마트폰 관련 사업을 하고 있다. 컴퓨터에서 스마트폰으로 산업 트렌드가 변화했기 때문이다. 이러한 격렬한 변화는 지금도 급격히 진행되고 있다. 한때 세계를 지배했던 노키아는 자신들의 사업을 스마트폰 위주로 제때 재편하지 못해 글로벌 경쟁에서 도태됐다가 통신장비 업체로 변신하고서야 간신히 생존에는 성공할 수 있었다. 이렇게 산업 내 끊임없는 변화가 지속적으로 몰아치는 경영 환경은 다시금 마이클 포터의 '5 포스 모델'을 주목하게 했다. 훗날 1970~1980년대 일본 기업의 대대적인 미국 시장 공략 과정에서 '5 포스 모델'은 심각한 타격을 받기는 했지만 이 도구의 분석효과는 여전히 유효하다.

물 좋고 선수 많은 곳을 찾아라

어느 날 하버드대학 경영대학원 케네스 앤드류 원장은 마이클 포터 교수에게 "2년 내 세상이 놀랄 만한 연구 결과를 만들지 못하면 학교에서 퇴출시킬 것입니다." 하고 엄포를 놓았다. 케네스 앤드류 원장은 경영학의 고전으로 손꼽히는 저서 『기업전략의 개념』을 통해 비즈니스 영역에 전략이란 개념을 최초로 도입한 사람이다. 마이클 포터는 엄포에 위기를 느꼈는지 도서관과 연구실에서 칩거하며 연구를 거듭했다. 그리고 마침내 세상에 내놓은 연구결과물이 바로 '5 포스 모델'이다.

우리는 이 탁월한 분석도구 덕분에 사업에 대한 보다 폭넓은 통찰을 할 수 있게 됐다. 마이클 포터가 말하는 '5 포스 모델'은 결국 해당 산업 내에서 사업 활동에 걸림돌이 될 수 있는 것들을 말한다. 그리고 뒤에서 다시 언급하게 될 '퓨처스 휠'이라는 분석도구를 통해 '경쟁자'에 대해 본격적으로 생각해볼 수 있게 됐다. '5 포스 모델'의 중요한 의의 중 하나이다.

산업은 유사한 제품과 서비스를 제공하는 기업들의 집단을 뜻한다. 거시환경보다는 작은 규모이지만 더 높은 동질성을 가진 기업들의 모임이다. 따라서 기업들이 느끼는 경쟁의 압박은 거시환경의 그것보다 훨씬 직접적이고 강하다고 할 수 있다. 마이클 포터가 말하는 '5 포스 모델'의 힘이 강해질수록 개별 기업들이 가격을 올리거나 이윤을 얻을 수 있는 여지가 줄어들게 된다. 따라서 이것은 반드시 필요한 환경 분석 도구이다.

지인에게서 들은 이야기가 문득 떠오른다. 이제는 전국적인 상권이 된 홍대 앞은 주말마다 클럽문화를 즐기려는 젊은이들로 인산인해를 이룬다. 수많은 청춘이 클럽에서 각자의 매력을 뽐내기 위해서 저마다의 차림새로 이성에게 어필하고 춤 솜씨를 자랑한다. 이런 홍대 앞 클럽들에서 '전설적'이라는 클러버에게 어떻게 하면 클럽에서 잘 놀고 이성을 잘 만날 수 있는지를 물었더니 이런 대답이 돌아왔다.

"오늘 물은 좋은지, 선수가 얼마나 있는지가 중요하죠."

새로 진출하려는 시장이 매력적인지 그리고 경쟁 강도는 어떤지를 재빠르게 살펴서 '해볼 만하다' 싶은 클럽의 무대 가운데로 빠르게 들어가서 춤 솜씨를 뽐내는 게 성공 노하우였다는 것이다. 아마 사업과 경쟁의 본질을 알고 있는 젊은이가 아니었나 싶다.

'5 포스 모델'로 분석하고 판단하라

이제 마이클 포터가 말하는 '5 포스 모델'에 대해서 좀 더 자세하게 살펴보도록 하자. 첫째, '경쟁자' 부분이다. 새로 진출하려는 산업에 이미 형성된 경쟁 구도를 반드시 살펴봐야 한다. 경쟁 기업들이 산업 내에서 어느 정도의 우월적인 지위를 가졌는지, 그러한 경쟁 압박을 감수하고서도 시장 성장률이 가능한지를 살피는 것도 중요한 포인트가 된다. 시장에서 생산을 시작할 때 드는 고정 비용이나 재고 비용은 얼마나 잡아야 하는지 등도 파악해야 할 중요 요소이다.

만약 어마어마한 규모의 대기업 몇 개가 버티는 시장이 있다고 하자. 그럼 들어가는 것이 옳은 판단일까? 또 정반대의 상황은 어떨까? 대기업은 없지만 다들 고만고만한 규모를 가진 업체들이 복닥복닥 하는 시장이 있다고 하자. 그럼 들어갈 만한 곳일까? 이를테면 동대문 의류시장 같은 곳 말이다. 고정관념을 버리고 진지하게 여러 번 생각해봤으면 하는 질문 중 하나이다.

MS는 영업이익률이 80% 가까이 된다. 그건 그 기업이 승자독식에 의해 시장을 '독점'적으로 장악한 덕분이다. 반면 그 정반대의 상황이 동대문 의류시장이라고 볼 수 있다. 비슷한 규모의 업체들이 난립해 있는데 놀랄 만큼 신속한 카피 능력으로 매장마다 차별성을 갖는 것도 불가능하며 가격도 엇비슷하다. 브랜드 충성도라곤 거의 없는 그런 상황인 것이다. 아마 우리는 이런 극단적인 두 개의 경쟁 상황의 중간 어디쯤 시장에서 경쟁을 벌이고 있을 것이다.

우선, '기존 경쟁자' 부분이다. 현실적으로 우리가 신규 진출하기에 매력적인 시장은 두서너 개 정도의 대형 경쟁자들이 시장을 주도하고 있어 제품 가격이 어느 정도 안정된 곳이다. 극단적인 가격 경쟁을 피할 수 있고 또 작은 틈새를 찾아 파고들어 가 안착하는 것이 가능하기 때문이다.

둘째, '신규 참가자' 부분이다. 이 산업으로 새로운 경쟁자가 얼마나 쉽게 진입할 수 있는지를 살펴봐야 한다. 새로운 경쟁자가 진입하려고 할 때 자본은 얼마나 필요한지, 기존 경쟁자들의 브랜드 충성도는 얼마나 높은지, 생산 원가 측면에서의 경쟁력은 가질 수 있는지, 법적인 규제는 없는지 등을 검토하고 신규 참여자에 대해 기존 경쟁자들이 어떻게 반응하는지도 주의 깊게 살펴볼 필요가 있다.

셋째, '구매자' 부분이다. 우리 제품의 소비자가 산업 내에서 차지하는 위상과 구매 능력이 어느 정도인지를 살펴봐야 한다. 공급자는 여럿이지만 구매자가 소수라면 구매자의 위상은 높을 수밖에 없다. 구매자들이 우리 제품과 서비스를 어느 정도로 중요하게 여기는지, 즉 구매 상품의 중요도 역시 파악되어야 할 포인트 중 하나이다. 또 대체재의 수가 어느 정도 되는지도 따져봐야 한다.

넷째, '공급자' 부분이다. 산업 내 공급자 수와 공급 규모를 살피고 공급 상품이 얼마나 중요한지, 차별화는 이루어지고 있는지, 만약 다른 대체품을 선택할 때의 전환비용은 얼마나 들어가는지에 대해 알아야 한다. 독점적 공급자가 아니더라도 극소수 공급자만

이 존재하는 산업이라면 공급자에게 휘둘릴 수밖에 없기 때문이다. 국내 철강 시장이나 전 세계 참치 공급 시장 등이 대표적이다. 포스코와 현대 제철 등의 극소수 기업들만이 철강 제품을 필요로 하는 수요자의 요구에 맞는 품질의 제품을 공급할 수 있다. 그래서 이들 공급자의 제품 공급에 따라서 구매자들의 생산계획도 영향을 받을 수밖에 없다.

일본의 대형 종합상사들은 전 세계 참치 공급의 절대다수를 차지하는 사조산업과 동원산업의 눈치를 보고 있다. 그들이 판매하지 않는다면 참치를 공급받을 수 있는 루트 자체가 사라지기 때문이다. CJ가 참치 통조림 시장에 야심 차게 진출했음에도 실패했던 것도 그 때문이다. 그래서 '통조림 연어' 시장을 만들 때 가장 역점을 두었던 분야가 바로 이 '공급자' 문제를 어떻게 해결하느냐였다. CJ는 이 문제를 잘 해결해냈고 '통조림 연어'라는 새로운 카테고리를 통해서 참치 통조림 시장의 절대 강자인 사조산업과 동원산업에게 멋진 복수를 할 수 있었다.

다섯째, '대체품' 부분이다. 그 산업 내에서의 기존 경쟁구도에 대해 살펴보자. 최우선적으로 우리가 선보이려는 것과 비슷한 제품이나 서비스를 가진 기업들이 몇 곳이나 되는지 파악해야 한다. 그러고 나서 우리 제품 혹은 서비스의 대체재에 대한 구매 고객들의 니즈가 어느 정도 되는지와 기존 경쟁자들이 가진 여러 가지 경쟁력들 그러니까 '가격 경쟁력'과 '품질 경쟁력'을 보아야 한다. 그리고 전환비용 등에 대해서도 파악해야 한다.

5 포스 모델

기존 기업 간의 경쟁	공급자의 교섭력	구매자의 교섭력	신규 진입 기업의 위협	대체적 또는 대체 서비스의 위협
• 시장 성장률 • 경쟁자 수 • 고정 비용 • 재고 비용 • 철수 장벽 • 전환 비용[1] • 차별화	• 공급자 수 • 공급 규모 • 공급 상품 중요도 • 차별화 • 대체재 수 • 전환 비용 • 전방 통합 능력[2]	• 구매자 수 • 구매 규모 • 구매 상품 중요도 • 차별화 요구 • 대체재 수 • 전환 비용 • 후방 통합 능력[3]	• 규모의 경제 • 소요 자본 • 유통 경로 접근 • 브랜드 로열티 • 원가 우위 • 법적 규제 등 • 기존 기업 보복	• 대체재에 대한 구매자의 니즈 • 가격 경쟁력 • 품질 경쟁력 • 전환 비용

1) 전환 비용: 현재의 재화가 아닌 다른 재화를 사용하려고 할 때 들어가는 비용(ex 금전적인 비용, 개인의 희생, 노력 등 무형의 비용도 포함)
2) 전방 통합 능력: 기업 활동을 구매자 쪽으로 확장, 계열화시킬 수 있는 능력(ex 제조업체가 소매점포를 구입)
3) 후방 통합 능력: 기업 활동 범위를 부품 등 공급의 원천 쪽으로 계열화시킬 수 있는 능력(ex 자동차 제조업체가 철강공장을 구입)

5 포스 모델은 '장기적으로 괜찮은 시장일까?'라는 질문에 대한 판단 기준들이다.

마이클 포터가 말한 '5 포스 모델' 중에서 이 대체품에 대한 부분은 최근의 경영 환경에서 다시금 매우 중요해지고 있다. 과거와 같은 전통적인 의미의 대체품을 넘어 전혀 생각지도 못했던 신규 경쟁자가 난데없이 대체품으로 들어와 위협할 수 있기 때문이다.

이를테면 대형 할인마트들은 요즘 뜬금없는 공격에 직면하고 있다. 놀이공원이나 야구장 같은 다른 산업의 참여자들과 부지불식간에 경쟁하고 있기 때문이다. 소비자들이 대형 할인마트를 찾는 이유는 단순히 물건을 구매하기 위해서뿐만 아니라 푸드 코트나 문화센터 이용 등 때문이다. 그러다 보니 대형 할인마트를 대하는 소비자들의 시각에서 볼 때 놀이공원이나 복합 쇼핑몰로 변신하는 야구장 등이 유사한 가치를 제공함으로써 전에 없던 경쟁을 벌이게 된 것이다.

이렇게 새로운 종류의 경쟁자가 우리의 고객에게 같거나 유사한 가치를 제공하는 방법으로 등장하는 현실에서 기존 대형 유통업체들의 대응방법에 관심이 높아지고 있다. 신세계가 야심 차게 준비해 선보인 '스타필드'라는 새로운 복합 쇼핑몰이 이런 고민에서 등장한 유통업계 대응방안의 하나이다. 대형 쇼핑몰이 어지간한 놀이공원이나 스포츠 경기장보다 더 훌륭한 관련 서비스를 제공하는 식의 역공격을 하는 것이다.

이제는 이렇게 언제 어디서 경쟁자가 등장할지 모르는 그야말로 '초경쟁Hyper-competition 시대'에 들어섰다. 이로써 마이클 포터가 말하는 산업 내의 '다섯 가지 경쟁요소'를 기준으로 한 분석 작업의 가치가 다시금 높아지고 있다. 앞 도표의 다섯 칸은 포터가 말하는 '다섯 가지 경쟁요소'이고 그 각각의 칸에는 해당하는 항목들이 적혀 있다. 이 항목들 하나하나에 점수를 매겨서 그 수치를 통해 산업의 전체적인 매력도를 판단하는 방법이다.

오각형 매트릭스로 시사점을 찾아라

자, 그럼 5 포스 분석을 해보자. 그러기 위해서는 각 요소의 판단 기준으로 나온 점수를 바탕으로 하는 '매력도 분석' 도표와 오

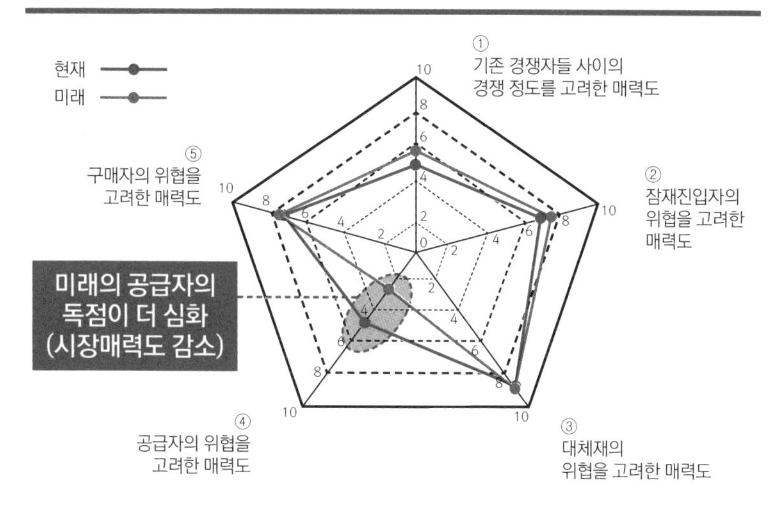

전략 포인트, 공급자를 붙잡아라

각형 매트릭스를 그려야 한다. 먼저 매력도 분석 도표를 살펴보도록 하자. 아래에 있는 것이 다섯 가지 항목에 대한 '매력도 분석' 도표이다.

도표 가장 왼쪽 칸에는 5 포스인 '다섯 가지 경쟁요소' 항목이 있고 각각의 항목마다 판단 기준이 되는 세부 항목들이 오른쪽에 있다. 그러고 다시 그 오른쪽에 현재 매력도에 대한 각자의 생각을 점수로 매기는 것이다. 10점 만점 기준으로 점수를 주는 것이 편리하다. 같은 방법으로 해당 항목의 향후 잠재적인 매력도에 대해서 점수를 매기면 된다.

이를테면 도표에 나와 있는 '5 포스 모델' 항목 중 기존 기업 간의 경쟁 항목의 첫 번째 판단 기준인 '시장 성장률' 항목의 현재 매

5 포스 모델	판단 기준 요소	현재 매력도	향후 잠재적 매력도	평균 매력도
기존 기업 간의 경쟁	시장 성장률	1 2 3 4 5 6 7 8 9 10	1 2 3 4 5 6 7 8 9 10	현재: 미래:
	경쟁자 수	1 2 3 4 5 6 7 8 9 10	1 2 3 4 5 6 7 8 9 10	
	고정 비용	1 2 3 4 5 6 7 8 9 10	1 2 3 4 5 6 7 8 9 10	
	재고 비용	1 2 3 4 5 6 7 8 9 10	1 2 3 4 5 6 7 8 9 10	
	철수 장벽	1 2 3 4 5 6 7 8 9 10	1 2 3 4 5 6 7 8 9 10	
	전환 비용	1 2 3 4 5 6 7 8 9 10	1 2 3 4 5 6 7 8 9 10	
	차별화	1 2 3 4 5 6 7 8 9 10	1 2 3 4 5 6 7 8 9 10	

포인트는 '현재 매력도'와 '잠재 매력도'를 함께 적는다는 것이다.

력도를 8점이라고 적었다고 하자. 이 시장은 현재 높은 성장을 기대할 수 있는 상당히 매력적인 시장이라는 의미이다. 그 오른쪽의 향후 잠재 매력도를 만약 6점으로 기재했다면 그 전체적인 의미는 '현재에는 시장 성장률이 꽤 높기는 하지만 향후에는 그 성장률이 낮아질 것으로 생각한다'는 뜻이 된다.

반대로 현재 매력도를 4점으로 했지만 향후 잠재 매력도를 9점으로 기재했다면 앞으로 폭발적인 성장이 예상되는 시장으로 생각한다는 뜻이다. 이렇게 5 포스 모델 각각의 항목과 그 세부 판단 기준요소에 대한 현재 매력도와 향후 잠재 매력도를 적어서 평균점수를 내보면 각 항목에 대한 현재와 미래 평가를 할 수 있게 된다.

다음 오각형 매트릭스는 이렇게 작성한 '매력도 분석' 도표의 결과를 한눈에 알아보기 쉽도록 작성한 것이다. 이 매트릭스는 '현재 매력도'와 '향후 잠재 매력도'를 함께 표시한 것이다. 이제 이렇게 작성된 오각형 매트릭스를 통해서 이 산업의 매력도와 전략적 시

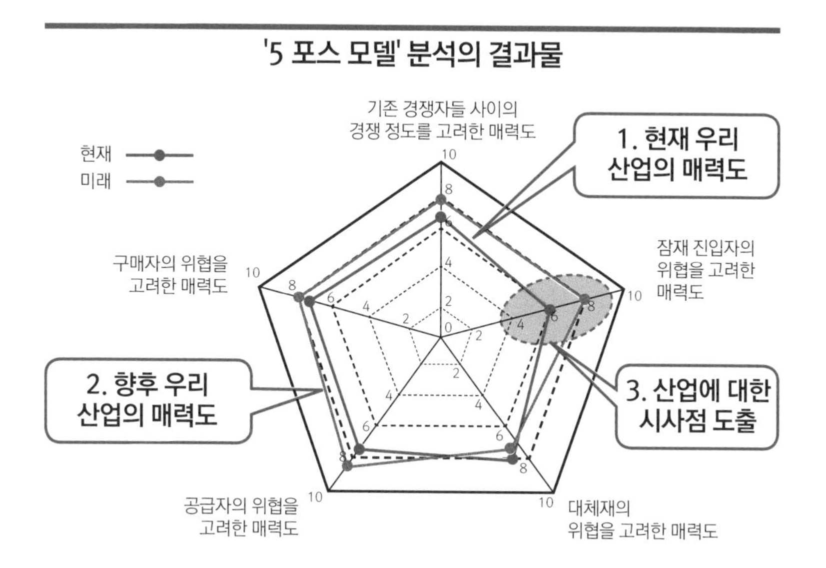

사점을 찾아내 보도록 하자.

오각형 매트릭스의 다섯 개 축에 적힌 숫자가 높아진다는 것은 그 항목의 매력도가 높다는 것이다. 이 산업의 경우에는 대부분 현재 매력도보다는 향후 잠재 매력도가 약간씩이라도 높지만 '대체재' 항목에서 향후 잠재 매력도가 미세하게 더 낮아져 있는 것을 볼 수 있다. 이것의 의미는 도표를 작성한 사람들이 '우리 산업은 대체재의 등장으로 위험이 더욱 커질 것'이라고 생각한다는 뜻이다. 따라서 앞으로 자사 제품이나 서비스를 대체할 만한 것이 무엇인지 대비해야 할 필요가 있다는 결론에 다다르게 된다.

그리고 대부분의 항목에서 큰 변동이 없지만 유독 '잠재 진입자에 의한 위험' 측면에서 향후 잠재 매력도가 아주 높다는 것을 오각형 매트릭스를 통해서 알 수 있다. 앞으로 이 산업에 새로이 진출하는 경쟁자가 줄어들 것이라는 뜻이다. 기존 경쟁자들과의 경쟁에 더욱 자원과 노력을 쏟을 수 있다는 의미가 된다. 이 오각형 매트릭스를 통해 나타난 결과로 얻을 수 있는 전략적 시사점에 대해서 하나의 사례를 더 들어보겠다.

다음 오각형 매트릭스는 '공급자 위험'이 상당히 커질 것이라는 사실을 보여주고 있다. 앞으로 경영 전략과 자원의 투입이 이 부분에 집중되어야 한다는 시사점을 얻을 수 있다는 뜻이다. 실제로 이 도표는 축산 식품을 제조하는 회사에서 작정한 것이다. 이 회사는 원재료를 공급하는 축산 농가들이 이탈할 가능성이 높다는 사실을 파악했다. 그래서 서둘러 공급자와의 관계를 더욱 공고하게 할 수 있을 만한 계획을 수립하고 시행에 옮겼다.

이 회사는 공급자인 농장주가 농장을 더욱 효율적으로 운영하고 관리할 수 있도록 서포트해주는 능력을 향상시키는 데 집중하기로 했다. 그래서 자사 영업사원들이 농장을 정기적으로 방문했을 때 현황을 제대로 진단해내는 능력을 높이는 교육을 집중적으로 했던 것이다. 그럼으로써 농장주들이 아직 간파하지 못한 문제점을 피드백해줄 수 있도록 했다. 농장주들은 '이 회사가 우리 농장에 신경을 많이 써주고 있구나. 믿을 만한 거래처다.'라고 신뢰하게 되었고 관계를 더욱 두텁게 할 수 있었다.

한편 농장주들의 생산성을 높일 방안을 제공하기 위해 체계적인 농장 운영 매뉴얼과 농장 개선 시스템을 만들어 지속적으로 관리

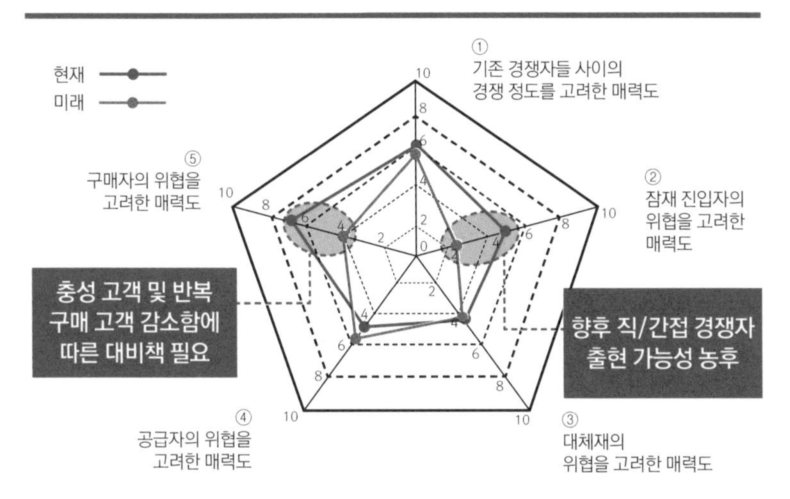

'공급자 위험'이 상당히 커질 것이라는 사실을 보여주고 있다. 앞으로 경영 전략과 자원의 투입이 이 부분에 집중되어야 한다.

해주기로 했다. 여기에 IT 기술을 활용한 농장통합 관리 시스템을 만들어 제공함으로써 다른 경쟁자들이 농장주들에게 제공하지 못하는 차별적 경쟁력을 확보하는 데 주력했다.

'퓨처스 휠'로 고객을 프로파일링하라

지금까지 기업을 둘러싼 두 단계의 외부 환경 분석인 '거시환경 분석'과 '산업 환경 분석'에 대해서 살펴봤다. 이번에는 기업에 가장 즉각적이고 직접적인 영향을 미치는 요소인 '고객'에 대해서 알아보도록 하자.

이제는 정말로 고객이 왕인 시절이 됐다. 그런데 고객의 마음은 영 알 수가 없다. 품질, 성능, 디자인 등의 요소가 미흡한데도 소비자들의 선택을 받기도 하고 제아무리 훌륭한 품질과 서비스를 자랑하는 제품인데도 단칼에 외면을 받기도 한다. 그토록 심혈을 기울여 애지중지 관리했던 브랜드 충성도 또한 전혀 예상치 못했던 엉뚱한 일 때문에 하루아침에 땅바닥으로 떨어지기도 한다. 시장에서 고객의 태도가 가장 중요한 요소가 됐기 때문이다. 그만큼 이제 고객은 직접적인 기업 성공의 열쇠가 됐다. 당연히 환경 분석을 위한 '다섯 개의 눈'에서도 소비자 분석이 가장 중요한 위치를 차지하고 있다.

그런데 거시환경이나 산업 환경 차원에서 발생한 트렌드가 어떻게 고객에게 영향을 미치는지는 1차적 영향은 물론이고 그 너머의 2차적, 3차적 영향까지 파악해야만 한다. 그렇지 못하면 아무 맥락 없이 나타나기도 하고 순식간에 사라지기도 하는 변덕스러운 고객의 트렌드에 제대로 대응할 수 없기 때문이다. 범죄 전문가들이 범인들이 남긴 증거, 말투, 걸음걸이, 필체 등의 다양한 요소를 모두 참고해 범죄자를 파악해내는 '프로파일링' 기법이 고객 분석에 도입된 이유도 거기에 있다.

이를테면 '1인 가구의 증가'라는 트렌드가 뚜렷해지고 있다면 그에 따른 1차적인 영향이 무엇인가를 우선으로 살펴야 한다. 즉 아파트 분양시장에서 작은 평수가 선호되고 1인용 가구 판매량이 늘어나고 소포장 음식이나 반조리 음식의 판매가 급증하는 것이 해당할 것이다. 그리고 2차적 영향은 1차적 영향에서 파생되어 나타나는 현상으로 편의점 매출이 뛰고 음식 배달 앱 이용 주문이 급증하는 것이 해당한다.

이렇게 트렌드가 고객에게 미치게 될 영향을 분석하기 위한 도구가 바로 '퓨처스 휠'이다. 이 분석도구는 『유엔미래보고서 2050』의 저자이자 유엔미래포럼의 회장인 제롬 글렌Jerome Glenn이 MIT에서 미래학 연구를 위해 만들었다. 현재 혹은 미래의 트렌드가 비즈니스에 미치게 될 영향을 분석해서 전략적인 아이디어를 얻을 수 있도록 고안된 것이다. 실제로 미래학자나 경영 컨설턴트들이 이 도구를 활용해 다양한 전략적 아이디어와 시사점을 얻고 있다. 미래학자 최윤식 박사도 제롬 글렌에게 직접 배운 퓨처스 휠을 사용해서 자신의 저서를 집필하기도 했다. 나 역시도 다양한 컨설팅 현장과 교육에서 이 분석 도구를 즐겨 사용하고 있다.

고객의 입장에서 생각하고 분석하라

앞에서 언급했던 「별에서 온 그대」 사례에서 제작사는 '공중파 TV가 돈이 된다.'는 기존의 상식이 바뀌었다는 사실을 놓쳐 광고료만 1,000억 원이 넘게 받았을 콘텐츠를 10억 원도 안 되는 푼돈에 넘겨주고 피눈물을 흘려야 했다. '실시간 트렌드 체크'를 하고 있었더라면 그런 결정적인 실수는 범하지 않았을 것이다. 그럼에도 내가 교육이나 컨설팅을 통해서 만난 경영자들과 임원 중에는 "그걸 어떻게 일일이 꿰고 있겠어요?"라고 볼멘소리를 하는 분이 있다. 그럴 때마다 내가 드리는 조언은 이렇다. "그걸 꼭 직접 하실 필요가 있을까요?"

페이스북이 인스타그램 같은 서비스를 만들 능력이나 기술개발 인력이 없어서 그 큰돈을 주고 인수합병을 했을 리는 없지 않은가? 중요한 것은 트렌드의 실시간 파악을 '직접' 해야 하느냐가 아니라 '하고 있느냐'이다. 해야만 하는 것과 하지 않아도 되는 것을 구분하는 것이 '전략'이다. 우리는 양질의 정보가 실시간으로 범람하는 시대에 살고 있다. 이런 환경을 최대한 활용한다면 아주 작은 비용을 들이면서도 거의 완벽하리만큼 실시간으로 변화하는 트렌드와 낮은 수준의 유행 그리고 오늘 오전에 가장 화제가 됐던 일이 무엇인지를 알아낼 수 있다. 포털 사이트의 실시간 검색어나 '빅데이터' 서비스를 제공하는 다양한 레퍼런스 사이트들이 있다. 이들을 잘 활용한다면 굳이 사내에 트렌드를 따라잡고 분석하기 위한 안테나 조직을 만들 필요가 없다.

중요한 것은 현재 어떠한 트렌드가 나타나고 있고 고객에게 어떠한 영향이 발생할 것인지를 예측하는 것이다. 그리고 한발 더 나아가서 이러한 영향이 우리 사회에 어떤 영향과 어떤 결과를 가져올 것인지를 예측해보는 것이다. 이 작업에 가장 효과적인 분석 툴이 바로 퓨처스 휠이다. 퓨처스 휠의 분석 프로세스는 크게 1) 주제 선정 2) 소비자 영향 예측 3) 파급효과 예측 순서로 진행된다. 현재 트렌드 중에서 우리 사업에 중요한 과제가 될 수 있는 것을 골라내고 고객에게 어떠한 영향을 줄 것인지를 파악한다. 그리고 그것으로 발생하게 될 현상과 결과를 예측해보자는 것이다. 5 포스 모델 분석에서처럼 퓨처스 휠의 경우에도 분석의 시작점이 되는 트렌드는 우리 회사와 관련이 높은 것을 사용해야 효과적인 결과를 얻을 수 있다.

예를 들어 우리가 헬스케어 용품을 생산하는 제조업체라고 가정하고 퓨처스 휠 분석을 해보자. 다양한 레퍼런스 사이트와 언론 기사 등을 통해 우리 사업과 가장 직접적인 관련성이 높은 트렌드들 중에서 '고령화 현상'이라는 것을 골랐다고 해보자. '바퀴Wheel'라는 용어에서 짐작할 수 있는 것처럼 '고령화'라는 트렌드가 퓨처스 휠의 중심축에 들어가게 된다. 작은 원을 하나 그린 후에 그 속에다 '고령화'라고 적어보기 바란다. 그리고 그 원보다 약간 더 큰 동심원을 그려보도록 하자. 이 동심원 선상에다 두 번째 프로세스를 적어야 한다. 조금 전에 설명했던 것처럼 트렌드로 인해서 소비자들에게 발생할 일차적인 영향을 그곳에 넣으면 된다.

이를테면 '독거노인이 많아진다.' '병원 신세를 지는 노인이 늘어난다.' '첨단 의료 기술에 대한 관심이 커진다.' 등이 될 것이다. 이러한 항목들을 일차 동심원 선상에다 다시 작은 원을 그린 후 그 속에 넣고 중심원에 있는 트렌드와 연결선으로 이어보자. 그러면

• 헬스 케어 업체의 퓨처스 휠 분석

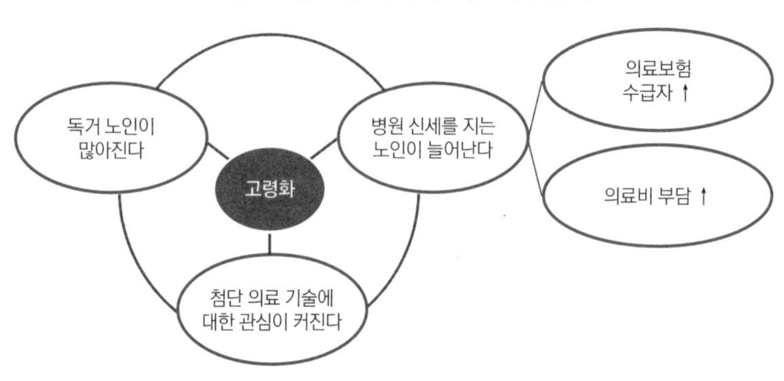

'고객' 입장에서 바로 앞 단계만 생각하라.

트렌드가 적힌 중심원과 일차 동심원 선상에 있는 네 개의 작은 원은 저마다 직선으로 연결된 모습이 될 것이다. 이제 퓨처스 휠에서 가장 중요한 단계인 파급효과를 예측하는 순서가 됐다. 주의할 점은 이러한 예측에서는 중심원에 있는 트렌드를 생각하지 않는다는 것이다. 반드시 동심원 선상의 원 안에 들어 있는 파생된 주제, 즉 독거노인의 증가, 노인들의 병원 방문 증가, 의료 기술에 대한 관심 고조 등만을 고려해서 파급효과를 적어야 한다.

다음의 퓨처스 휠에서 병원을 방문하는 노인들이 늘어난다는 파생 현상은 앞단계인 '고령화' 현상과는 단절된 상태에서 다음 단계와 이어지는 것이 포인트다. '병원 방문 노인의 증가'가 어떠한 현상 혹은 결과를 낳게 될까를 생각해서 다시 원을 그려서 그 안에다 그 내용을 적는 것이다. '의료보험' 이용자 수가 당연히 늘어날 것이고 가계지출에서 의료비가 차지하는 비중도 늘어날 것이다. 그

소비자 트렌드를 중심으로 생각하라.

것들을 각각 독립된 원에다 적고 연결선으로 이으면 된다. 이렇게 중심원에 있는 '고령화'라는 트렌드가 2차적인 파급효과를 적은 '병원 방문 노인의 증가'라는 두 번째 원과 연결된다. 그리고 이 두 번째 원은 다시 각각 '의료보험 수급자 증가'와 '의료비 부담 증가'라는 세 번째 원과 독립적으로 연결된다.

자, 이제 우리 눈에는 세 번째 원들에 적힌 내용을 전체적으로 훑어보면서 무언가 떠오르는 것이 생길 것이다. 헬스케어 업체라면 소비자들의 의료비 부담을 줄여줄 방법에서 전략적 시사점이 떠오를 것이다. 의료보험 이용자의 증가는 의료 시장의 고객이 증가한다는 뜻이다. 그리고 이들 의료 시장의 고객들은 저마다 늘어나는 의료비에서 부담을 느끼게 될 것이기 때문이다.

퓨처스 휠에서 가장 중요한 포인트는 '고객의 입장에서 작성하라.'는 것이다. 트렌드를 선정할 때부터 '고객들이 무엇에 가장 관심이 있을까?'를 기준으로 해야 하고 그 트렌드로 생겨나는 파급효과들 역시 '고객들은 어떻게 생각할까?'라는 관점에서 생각해야 한다는 것이다. 우리는 퓨처스 휠을 통해서 '소비자의 생각'을 분석하려고 하는 것이기 때문이다. 즉 '이건 우리가 잘하는 분야인데.'라고 생각할 것이 아니라 '고객이라면 이걸 좋아할까?'라고 생각해야 한다는 뜻이다.

제대로 된 전략 포인트를 만들어라

경영 현장에서 "고객의 입장에서 생각하라."는 너무나 손쉽게 들을 수 있는 말이다. 하지만 막상 퓨처스 휠의 원에다 무언가를 적을 때 고객 입장을 생각한다는 것은 막막한 일로 느껴지기 쉽다. 그래서 고객 입장이 되어보기 위한 방법론이 필요한데 이처럼 고객에 대한 다양한 정보들을 효과적으로 습득하기 위해 '고객 프로파일링Customer profiling'이라는 도구가 등장하게 된다. 이 고객 프로파일링은 고객이 어떤 생각을 할 것인지를 세 가지로 구분한다. 바로 '혜택' '활동' '불만'이다. 우리의 제품이나 서비스를 통해서 고객이 얻을 수 있는 '혜택'은 무엇인가, 고객은 어떠한 '활동'을 하는 데 우리의 제품이나 서비스를 사용하는가, 우리의 제품이나 서비스에 대해서 고객이 어떠한 불만을 품고 있는가를 파악한다. 그

고객에게 알아내야 하는 세 가지 포인트

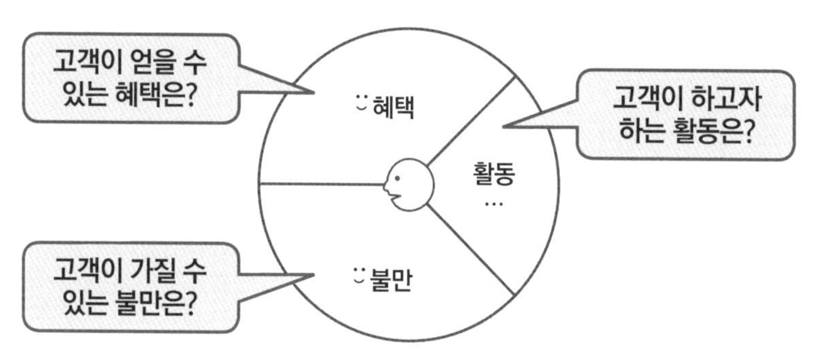

럼으로써 고객의 다양한 생각 중에서 우리에게 필요한 시사점을 얻어낼 수 있게 된다.

고객 프로파일링은 경영자 혼자서 작업하기보다는 가급적 많은 직원을 동참시킬 필요가 있다. 직원들에게 포스트잇을 주어서 각자 고객의 입장에서 생각할 때 떠오르는 혜택과 활동 그리고 불만을 적도록 한다. 이때 막연하지 않게 매우 구체적으로 적어야 한다. 이를테면 '가격이 비싸지 않았으면 좋겠다'고 적는 것이 아니라 '5만 원 미만'이라고 적도록 해야 한다는 것이다.

만약 제대로 퓨처스 휠 분석을 했다면 누구나 그 결과물을 보고 "와우~" 하는 감탄사를 터뜨리게 된다. 막연하게 '이런 아이템을 해봐야 하지 않을까?' 하고 생각했던 것들이 눈에 드러나기 때문이다. 우선 요즘 젊은 층에게 세계적인 트렌드로 자리 잡아가고 있는 '슈퍼 미Super me, 내가 최고'를 중심으로 퓨처스 휠 분석을 해보자. 어떤 사업 아이템이 나왔고 또 실제로 이것이 어떻게 현실에서 사

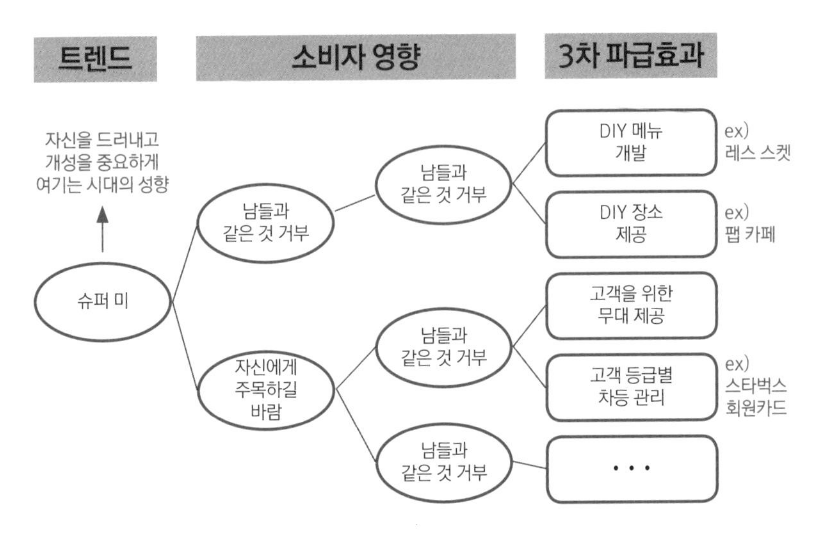

하나의 트렌드에서 다양한 사업 아이템과 경영 전략이 나올 수 있음을 보여주는 사례이다.

업화되었는지를 살펴보자.

앞에서 잠깐 얘기했던 홍대 클럽가에서 전설적인 클러버로 불린다는 젊은이의 사례처럼 요즘 젊은 층의 소비자들은 누군가를 모방하거나 그대로 따라 하는 것을 좋아하지 않는다. 오히려 '따분하다'고 여길 만큼 자기 자신의 개성을 드러내는 것을 좋아한다. 이러한 경향은 일시적으로 혹은 지역적으로 나타나는 것이 아니다. 이미 분명한 하나의 흐름이기 때문에 '트렌드'라고 불러도 무방하다. 그렇다면 이런 '슈퍼 미'라는 트렌드를 중심원에 두고 그 바깥의 동심원 선상에 소비자들에게 어떠한 영향을 미치는지 적어보도록 하자.

우선적으로 '슈퍼 미' 트렌드는 두 가지 파급효과를 갖고 있다. 하나는 '남들과 같은 것을 거부함'이고 도 하나는 '나를 주목하기를 원함'이다. 각각 원에 그려넣는다. 그다음 '남들과 같은 것을 거부함'이라는 원에서 다시 파급되는 영향을 적어보자. 어떤 것이 있을까? 아마 '나만의 것을 원함' '하나밖에 없는 특별한 것을 원함' 등이 될 것이다. 이렇게 두 번째 동심원상에 적힌 두 가지 내용을 동시에 놓고 보면 떠오르는 무언가가 있을 것이다. 바로 'DIY Do It Yourself'라는 키워드이다. 내가 원하는 나만의 것을 직접 만들고 싶다는 욕구를 '슈퍼 미'라는 트렌드를 통한 퓨처스 휠 분석을 통해서 발견하게 된 것이다.

실제로 건강 음료 프랜차이즈 브랜드인 비스켓beesket은 본사에서 정해놓은 레시피대로 만들어진 음료수를 파는 것이 아니라 고객들이 직접 자신들이 원하는 과일을 조합해 만드는 자신만의 건강 음료를 만들 수 있도록 서비스하고 있다. 고객들이 선택하는 과일이 들어 있는 캡슐 속에는 무선인식RFID 칩이 내장되어 있어서 직접 조합해 만든 음료의 칼로리와 영양 정보까지도 바로 알 수 있다. 이런 경험을 통해 고객들은 더욱더 자신이 원하는 음료를 보다 구체적으로 만들 수 있다. 제품에 대한 만족도는 계속 높아질 수밖에 없게 된다.

이 새로운 브랜드가 슈퍼 미 트렌드를 통해 'DIY 메뉴의 개발'이라는 방향에서 사업 아이템을 발굴해낸 경우라면 '팹 카페Fab cafe'라는 특이한 카페는 'DIY를 위한 장소를 제공'이라는 방향에서 사업 아이템을 찾은 경우이다. 일본 도쿄 시부야에 위치한 이 카페는 개인이 구매하기 어려운 고가의 전문적인 기계나 공구 등을 이용

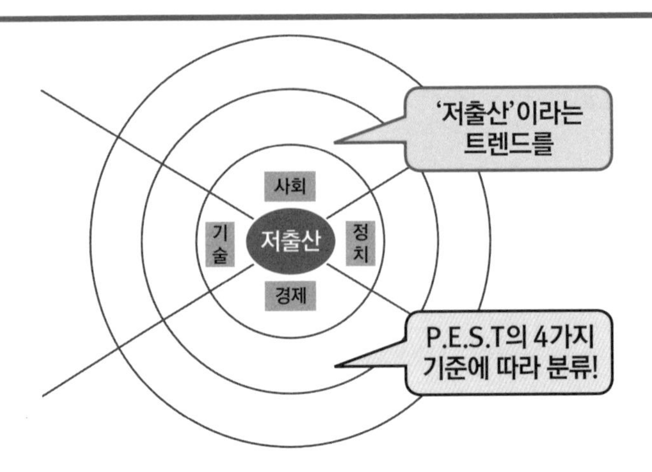

트렌드의 파급 영향을 페스트 기준으로 나눠보자

하도록 하고 사용료를 받는 방법으로 수익을 내고 있다. 또한 이미 몇 해 전 파리 오페라에 위치한 BHV라는 백화점 지하에도 이런 '공구 카페'가 생겨 좋은 반응을 얻고 있다.

이 사례들은 '슈퍼 미'라는 트렌드를 통해 도출된 파급효과에서 사업에 대한 중요한 힌트를 얻은 것이다. 퓨처스 휠의 효과에 대한 좋은 사례가 되고 있다.

퓨처스 휠에 페스트 분석을 더하라

퓨처스 휠 분석을 해볼 때 가장 큰 어려움은 트렌드를 적은 중심원을 둘러싼 동심원에 일차 파생된 효과를 적는 것이다. '여기다 뭘 적으라는 건지.' 막막해하는 경우가 대부분이다. 이때 퓨처스 휠 분석을 쉽게 하면서도 그 효과는 더욱 증폭시키는 요령이 있다. 바로 '페스트 분석'과 합쳐서 분석하는 것이다.

거시환경 분석을 위한 도구인 '페스트'가 의미하는 기본적인 4개의 구분법을 퓨처스 휠의 동심원에 적용하면 작성이 훨씬 수월하다는 것은 많은 사례로 증명된 바 있다. 다음 도표가 그런 사례인데 '저출산'이라는 트렌드를 중심으로 한 퓨처스 휠 분석의 1차, 2차 동심원을 페스트 분석의 네 가지 구획으로 나눈 것임을 알 수 있다.

'저출산'이 갖는 사회적 의미 중 하나인 '인구 증가 추세의 멈춤'과 '역피라미드형 인구구조로의 이행'과 같은 직접적인 파급 영향을 1차 동심원의 사회 문화 칸인 S칸에 적고 '유권자의 감소'와 '행정 서비스 수요의 장기적 감소' 등을 정치 칸인 P칸에 적는 식이다. 그리고 2차 동심원에는 1차 동심원에 적혀 있는 각각의 원에서 다시 파생된 영향을 적어 넣으면 퓨처스 휠을 완성하는 작업이 한결 수월해질 것이다. 그리고 이때 유념할 사항은 이 모든 작업이 항상 '고객의 입장에서' 진행되어야 한다는 사실이다.

다음의 또 다른 퓨처스 휠은 내가 국내의 한 유명 교육기업을 상대로 내가 진행했던 컨설팅에서 작성됐던 것이다. 퓨처스 휠의 작성이 페스트로 구분되어 파급효과의 분류가 한결 쉬워졌다는 것을 알 수 있다. 그리고 각각의 동심원에 적어 넣는 파급효과들은 '고

교육기업 예시

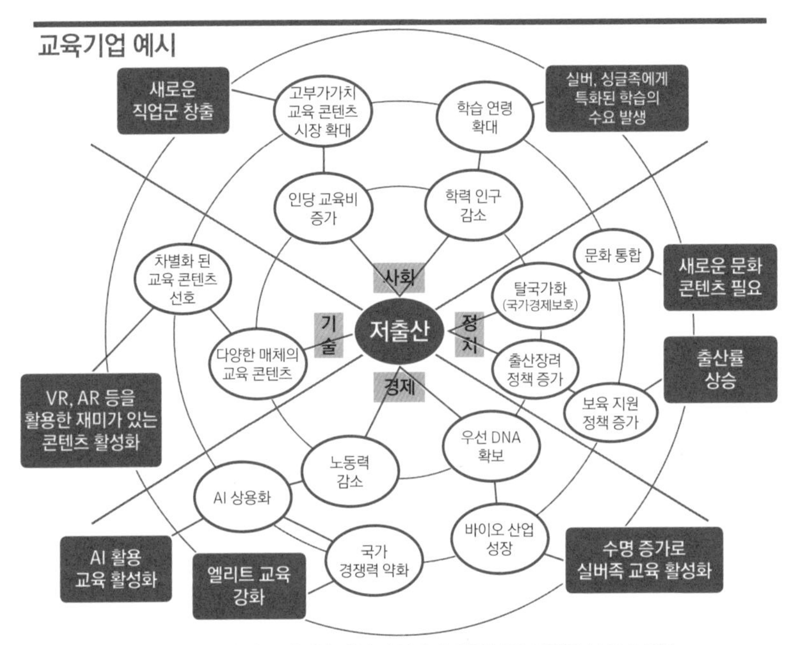

최종 파생 효과들을 연결하면 구체적인 사업 아이템과 경영 전략의 방향이 도출된다.

객의 입장에서' 작성된 것인데 최종적인 파급효과로 인해서 고객들이 느끼는 '활동' '혜택' '불만'이 무엇인지를 파악함으로써 새로운 사업 아이템이나 전략의 방향이 도출됐음을 알 수 있다.

5장

레이더 스크린과 브리오 분석

- 새로운 경쟁자를 분석하고 자신의
핵심역량을 찾아 집중하라

'레이더 스크린'으로 경쟁자들을 분석하라

고대 로마의 최전성기로 불리는 '5현제 시대'의 마지막 황제인 마르쿠스 아우렐리우스 말년 때의 일이다. 당시 로마군은 로마에서 멀리 떨어진 다뉴브 강가에서 게르만족과 제국의 국경을 결정짓기 위한 혈투를 벌이고 있었다. 그 치열했던 전투는 로마군의 승리로 막을 내렸다.

마르쿠스 아우렐리우스는 전투를 승리로 이끈 장군 막시무스를 찾아갔다. 로마를 황제 통치가 아닌 공화정 체제로 다시 바꾸겠다고 말하고 권력을 물려주기 위해서였다. 하지만 탐욕스러운 황제의 아들은 자신이 황제에 오르지 못할까 봐 아버지를 살해하고 막시무스의 가족까지 모두 죽이는 만행을 저지른다. 그 내용을 다룬 영화가 「글래디에이터」이다.

영화 「글래디에이터」의 한 장면. 국경을 확정 짓기 위해 로마군과 게르만족 간에 벌어진 다뉴브 강가 대혈투

러셀 크로가 주연한 영화 「글래디에이터」는 지금 우리의 경영 환경에서 일어나는 변화를 살펴보는 일에 유의미한 통찰을 주고 있다는 생각을 잠시 해보게 된다. 우리는 과연 누구와 경쟁을 벌이는 것일까? 흔히 경영 현장을 '전쟁터'라고 부르곤 한다. 그렇다면 누가 우리의 적일까? 로마군과 전투를 벌이던 게르만족 병사들처럼 바로 눈앞에 있는 상대가 우리의 경쟁자이고 적일까? 고객이라는 시장을 놓고 벌이는 선의의 경쟁은 전쟁을 방불케 격렬한데 과연 그 경쟁의 모습은 영화 속 전투장면과 같은 것일까? 바로 눈앞에 있는 경쟁자만이 문제가 아니다. 생각지도 못했던 전혀 엉뚱한 곳에서 경쟁자가 나타나는 것은 영화 속 일이 아닌 현실인 것이다.

거시환경 변화는 '페스트' 분석을 통해 파악하고 그 속에서 경영 전략에서의 유의미한 신호들을 찾아낼 수 있었다. 그 한 단계 아래 차원인 산업 환경은 마이클 포터의 너무나 유명한 '5 포스 모델' 분석을 통해 살펴보았다. 이어서 우리가 직접 만나고 상대하는 고객에 대해서는 '퓨쳐스 휠' 분석을 통해 자세하게 살펴보았다. 이제 '다섯 개의 눈' 분석도구의 네 번째 차례로 '레이더 스크린The Radar Screen' 분석도구를 살펴보자.

레이더 스크린은 컨설팅 펌 올리버 와이만 컨설팅 디렉터 출신인 경영학자 에이드리언 슬라이워츠키Adriam Slywotzky가 고안한 것으로 '경쟁'에 대해 완전히 새로운 관점을 제시해준다. 에이드리언 슬라이워츠키는 『인더스트리 위크』가 선정한 '경영계 영향력 있는 6인'에 선정되기도 한 경영학자이다. 그는 레이더 스크린을 통해서 '경쟁'에 대한 시각을 일신시켰다. 경쟁 시각을 경쟁 상대방에서 '고객'에게로 옮기자는 획기적인 발상을 제시한 것이다.

우리의 제품 혹은 서비스가 고객들에게 어떤 가치를 주고 있는가를 기준으로 경쟁자를 구분해야 한다는 것이다. 다른 산업에 속해 있을지라도 고객들에게 동일한 가치를 제공해줄 수 있다면 누구든 우리의 경쟁자라는 발상이다. 이러한 방법으로 그는 레이더 스크린에 의한 분석을 통해 전에는 생각하지 못했던 새로운 유형의 경쟁자가 등장하는 현실에 대한 중요한 통찰력을 제시해주고 있다. 목표 위치나 정보를 한눈에 포착할 수 있게 해주는 화면인 레이더 스크린처럼 이 분석 도구를 통해서 우리 사업의 경쟁자들을 한눈에 파악하는 것이 가능하기 때문이다.

이 '레이더 스크린' 분석은 현재 전 세계적으로 불고 있는 4차 산업혁명과 같이 기존 산업의 영역이 파괴되는 상황에서 매우 효과적이다. 레이더 스크린의 기본적인 시각은 고객의 입장에서 '동일한 가치'를 제공할 수 있다면 그것을 전달하는 수단이 다르다 해도 누구든 경쟁자라는 것이다. 요즘과 같이 게임의 룰이 바뀌는 뷰카 시대에 매우 효과적인 방향성을 제시할 수 있다는 점에서 매우 중요한 분석도구이다.

왜 타이타닉과 전함 야마토는 실패했는가

1912년 4월 10일 '절대로 침몰하지 않는 배' '가장 빠르게 대서양을 횡단하는 선박' '가장 호화로운 유람선'이라는 극찬을 받으며 처녀항해를 시작한 배가 있다. 그런데 이 배는 출발한 지 채 일주일이 못 된 4월 15일 빙산과 충돌하며 대서양 한복판에서 1,514명이라는 엄청난 희생자를 남기고 침몰하고 말았다. 영화를 비롯한 수많은 다큐멘터리와 기록을 통해서 숱한 화제를 낳은 거대 유람선 타이타닉호에 대한 이야기다.

타이타닉호를 둘러싼 많은 신화적인 이야기와 루머를 걷어내고 냉정한 시각으로 판단해보자. 그럼 타이타닉호는 '결국은 침몰할 수밖에 없는 운명'이었다는 사실을 알게 된다. 무엇보다도 '게임의 룰'이 바뀌는 것을 간과하고 경영 자원을 잘못 활용한 대표적인 사례이기 때문이다. 타이타닉이라는 유람선은 '대서양 횡단 여객선 시장'이라는 기존 경쟁이 극단으로 치달을 때 등장한 경쟁 전략의 거대한 상징물이기도 하다. 로버트 풀턴Robert Fulton이 만든 최초의 증기선이 등장한 이후로 선박 산업의 경쟁은 '얼마나 더 빨라질 수 있는가'라는 게임의 룰에 의해서 지배됐다. 빠른 배를 소유한 선박회사가 더 많은 승객을 배에 태울 수 있었고 경쟁에서 승리할 수 있었다.

기술 발달에 따라서 이러한 '더 빠른 배가 더 많은 돈을 번다'는 기존 게임의 룰은 더욱 굳어져갔지만 전혀 예상치 못했던 방향에서 경쟁자는 등장하고 있었다. 당시 선박 산업에 있던 사람들은 이를 간과했던 것이다. 타이타닉은 당시 게임의 룰을 가장 충실하게 따르며 경쟁하던 시장 참여자로서 당연히 가장 많은 승객을 태울 수 있었고 가장 크고 가장 빠른 배라는 타이틀을 획득할 것으로 보였다. 그렇듯 수많은 언론의 관심 속에서 타이타닉호는 영국을 떠나 뉴욕으로 향하기 위해 차가운 대서양을 건너다 그만 비극의 주인공이 됐던 것이다.

그런데 '더 빠르게 대서양을 횡단한다'는 게임의 법칙은 얼마 후 완전히 새로운 경쟁자에 의해 판도가 아예 뒤바뀌게 됐다. 비행기가 등장한 것이다. 제아무리 타이타닉이 강력한 엔진으로 빠르게 대서양을 건널 수 있다 하더라도 애초부터 비행기와의 속도 경쟁은 불가능한 것이었다. 하지만 당시 선박 산업은 기존의 경쟁 구도에 파묻혀 있었고 새로운 경쟁자의 등장에 눈을 돌릴 만큼 현명하지 못했다. 결국 타이타닉으로 상징되는 '대서양 횡단 시장'은 애초부터 선박에서 항공기로 주인공이 바뀔 운명이었던 셈이다. 이렇게 한 시대를 지배하던 게임의 룰이 바뀌는 것은 아이러니하게도 '기존 경쟁방법의 극대화'라는 공통적인 모습이 나타나는 것으로 알아차릴 수 있다.

1945년 4월 7일. 일본이 미국을 상대로 감행했던 태평양 전쟁이 막바지에 다다르던 때였다. 18.1인치의 460밀리미터짜리 대형 함포 9문을 자랑하던 배수량 6만 5,000톤의 경악할 만큼 거대한 몸집을 자랑하던 일본 해군의 자랑 '전함 야마토'는 돌아올 항해에 쓰일 기름도 싣지 않은 채 마지막 전투에 나섰다. 그리고 곧 전함 야마토는 변변한 전투 한번 치러보지도 못한 채 미 해군의 항공모함에서 발진한 전투기, 뇌격기, 급강하 폭격기의 벌떼 공격을 받으며 거대한 자폭과 함께 깊은 바닷속으로 가라앉고 말았다.

거함거포주의巨艦巨砲主義'라는 이른바 '더 먼 곳에서 적을 공격할 수 있는 더 큰 대포를 가진 배가 승리한다'는 전쟁의 법칙은 항공모함에서 출발한 비행기들의 공격이 현실화되면서부터 허무하게 막을 내리고 말았던 셈이다. 야마토는 화약고로 떨어진 미군의 폭탄이 터지면서 연쇄폭발을 일으켰고 현장에서 160킬로미터나 떨어진 일본 본토의 규슈 지방에서도 목격될 만큼 거대한 폭발연기

게임의 룰이 바뀔 때 나타나는 '거대한 판단 착오'의 상징이 되어버린 타이타닉과 전함 야마토

와 함께 침몰했다. 제1차 세계대전에서 전쟁을 지배하던 '거함거포주의'라는 강력한 게임의 법칙은 항공모함의 본격적인 등장으로 끝장이 났던 것이다.

전함 야마모토는 현재 기준으로 봐도 초대형 사이즈로 일본 해군의 자랑이었다. 하지만 기존의 법칙을 고수하다가 거대한 판단 착오를 해 침몰한 대표적인 사례가 되고 말았다. '대서양을 빠르게 횡단한다'는 가치를 충족시키는 수단이 '선박'에서 '항공기'로 변화하는 것을 미처 간파하지 못했던 선박회사는 몰락했다. 마찬가지로 '더 멀리서 적을 공격한다'는 가치가 거대한 대포에서 항공모함 폭격기에 의해 대체됐다는 것을 인지하지 못했던 일본 해군 역시 전쟁에서 처절하게 패하고 말았던 것이다.

게임의 룰이 바뀔 무렵에는 '거대한 판단착오'로 인한 상징적 존재가 등장한다. 레이더 스크린이 주는 시사점은 여기에 있다. 바로 다른 수단을 통해서 같은 가치를 제공할 수 있다는 것이다. 아날로그 필름 시장의 절대 강자였던 코닥이 경쟁자인 후지필름에 의해서가 아니라 '사진 촬영'이라는 가치를 '디지털 카메라'라는 새로운 수단으로 충족시키는 전자업체들에 의해 몰락한 것도 '레이더 스크린'의 유용함을 증명해줄 수 있는 하나의 사례가 될 수 있다. 단언컨대 이제 기업들은 '같은 가치를 같은 수단으로' 제공하는 기존의 경쟁자는 물론이고 '같은 가치를 다른 수단으로' 제공하는 새로운 경쟁자와의 경쟁 구도도 염두에 두어야 한다.

'가치 파악'과 '경쟁자 분류'를 하라

새로운 유형의 경쟁자를 한눈에 파악할 수 있도록 해주는 레이더 스크린의 유용성을 제대로 파악하기 위해서는 우선 분석 프로세스부터 살펴봐야 한다. 레이더 스크린 분석 프로세스에는 크게 두 가지 포인트가 있다. 그 첫 번째가 '가치 파악'이고 두 번째가 '경쟁자 분류'이다.

가치 파악은 우리의 제품이나 서비스(혹은 우리가 분석하고자 하는 트렌드)가 고객들에게 어떠한 가치를 전달하는지를 파악하는 것. 여기에는 세 가지 종류의 가치가 포함되어 있다. '전달할 수 있는Will

가치' '전달해야만 하는Must 가치' '전달하고 있는ing 가치'이다.

레이더 스크린을 분석하기 위해서 반드시 필요한 경쟁자 분류 역시 고객에게 제공하는 가치를 기준으로 판단한다. 이는 직접 경쟁자(같은 가치, 같은 수단), 간접 경쟁자(같은 가치, 다른 수단), 잠재적 경쟁자로 나뉜다. 직접 경쟁자와 간접 경쟁자의 차이는 앞에서도 설명한 것처럼 고객에게 같은 가치를 전달하되 그 전달 수단이 다른 것이다. 이를테면 사진을 찍으면서 기쁜 하루를 보내는 연인들에게 '코닥필름'의 직접 경쟁자는 '후지필름'이고 간접 경쟁자는 '디지털 카메라'가 될 수 있을 것이다.

세계적으로 유명한 브랜드인 나이키의 경쟁 환경을 레이더 스크린을 통해서 알아보도록 하자. 우리는 첫 번째 분석 프로세스인 '가치 파악' 단계에서 '나이키'라는 브랜드가 고객에게 어떠한 가치를 주고 있는지를 세 가지 기준으로 나누어보아야 한다.

'고객이 과연 나이키 운동화를 구매하는 이유가 무엇일까?'라는 질문으로 시작해보자. 나이키가 구매 고객에게 전달하는 가치를 전달할 수 있는Will, 전달해야만 하는Must, 전달하고 있는ing 가치를 기준으로 조사해보자. 먼저 '전달할 수 있는Will' 가치로는 '여가 보내기'가 나온다. "나이키를 왜 신습니까?"라는 질문에 사람들은 "운동화 신고 여가를 즐기기 위해서죠."라고 답을 한다는 것이다. 두 번째 '전달해야만 하는Must' 가치 조사에는 '건강관리'라는 항목이 나왔다. 나이키 운동화를 신고 열심히 땀 흘리며 운동하는 이유가 건강을 잘 관리하기 위해서라는 대답이다. 마지막으로 현

고객이 나이키 운동화에서 느끼는 세 가지 가치들

재 '전달하고 있는ing' 가치로는 '멋과 유행'이 나왔다. 한마디로 요즘 멋쟁이 젊은이들은 나이키를 신는다는 것이다.

최근 몇 해 들어 기존 패션 브랜드들도 나이키나 아디다스 같은 스포츠 브랜드와 적극적인 콜라보레이션 작업을 진행하는 것이 유행이다. 덕분에 잘 차려입은 수트에 흰색 나이키 스니커즈를 신는 것이 이상하지 않고 오히려 아주 트렌디한 멋쟁이 차림으로 받아들여지는 것이다. 이로써 나이키라는 브랜드가 구매 고객들에게 '멋과 유행'이라는 가치를 잘 전달하고 있음을 알 수 있다.

이렇게 자사의 제품이나 서비스 혹은 분석하고자 하는 트렌드가 고객들에게 어떠한 가치를 제공하고 있는가를 세 가지 기준으로 파악하고 나면 이제 이 결과를 갖고 나이키의 레이더 스크린 작업에 들어갈 수 있다. 위의 그림은 나이키 운동화가 착용 고객들에게 전달하는 가치를 전달할 수 있는 가치, 전달해야만 하는 가치, 전달하고 있는 가치 기준으로 작성한 레이더 스크린이다. 여기서 눈여겨봐야 할 포인트는 '나이키'라는 브랜드가 들어간 중심원을 기준으로 세 겹의 원이 그것을 더 둘러싸고 있다는 것이다.

두 번째 프로세스인 제공 가치에 따른 '경쟁자 분류'로 들어가 보자. 레이더 스크린은 나이키라는 중심원과 그것을 둘러싼 세 겹의 원에 경쟁자들을 배치시키면 완성된다. 그 배치 기준이 바로 포인트다. 중심원과 가까운 가장 안쪽의 원에는 '직접 경쟁자'를 넣고 그다음 두 번째 원에는 '간접 경쟁자'를 넣고 가장 마지막 바깥쪽 원에 '잠재적 경쟁자'를 넣으면 된다.

앞에서 말한 것처럼 나이키의 경우 '직접 경쟁자'에는 '같은 가치, 같은 수단'을 제공하는 아디다스나 푸마 같은 스포츠 브랜드를 넣으면 된다. 전통적인 의미의 경쟁자가 들어가는 원이 바로 자사의 제품, 서비스와 가장 가까운 곳에 위치하게 된다. 그리고 중요한 포인트인 두 번째 원에는 '간접 경쟁자', 즉 같은 가치, 다른 수단을 통해 고객에게 가치를 전달하는 곳이 들어간다. 마지막 '잠재적 경쟁자' 원에는 미래에 같은 가치를 제공할 가능성이 있는 곳을 적으면 된다.

여기서 다시 나이키가 고객들에게 전달하는 세 가지 가치를 기준으로 한 레이더 스크린을 작성해보자. 직접 경쟁자와 간접 경쟁자 그리고 잠재적 경쟁자를 각각 세 기준에 맞춰 파악해 적으면 완

나이키의 경쟁자 분류

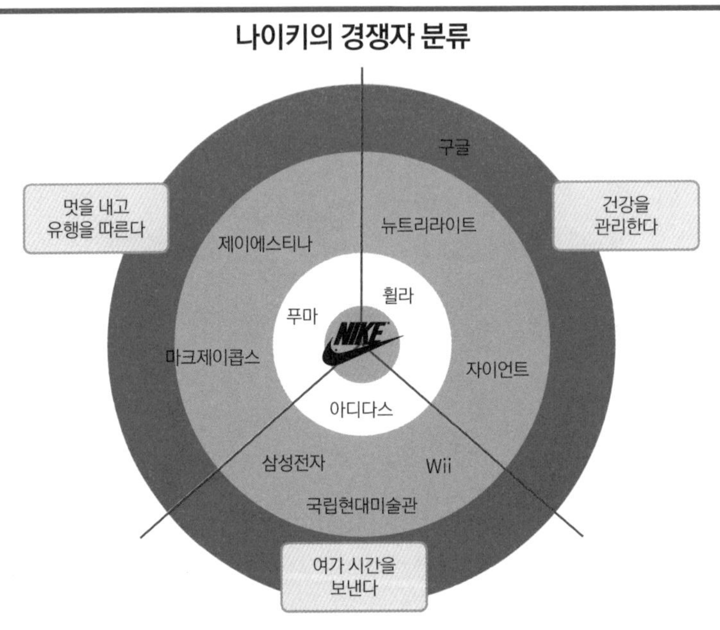

'여기가 우리의 경쟁자라고?' 믿기지 않는 경쟁 현실이다.

성된다. 이렇게 작성된 나이키의 레이더 스크린을 통해서 직관적으로 파악할 수 있는 것들은 다음과 같다.

나이키가 '멋과 유행'이라는 고객들에게 현재 제공하는 가치의 측면에서 직접적으로는 푸마라는 브랜드와 경쟁을 벌이고 있다. 또 동시에 마크 제이콥스라는 패션 브랜드와 제이에스티나라는 주얼리 브랜드와는 간접경쟁을 벌이고 있다. 고객이 '멋과 유행'을 위해서 자신의 지갑을 열 때 같은 선상에서 비교되는 것이다. 김연아가 모델로 나오는 제이에스티나의 신상 귀걸이 구매를 고민하는 젊은 여성은 '나이키 슈퍼스타를 살까? 아니면 마크 제이콥스의 스마트폰 파우치를 살까?'를 함께 고민한다는 것이다. 전통적인 산업 기준으로는 전혀 각축을 벌일 이유가 없는 브랜드들이다. 하지만 고객에게 주는 '멋과 유행'이라는 가치를 기준으로 볼 때는 '다른 수단'이라는 차이가 있을 뿐 경쟁자 관계가 되는 것이다.

그리고 나이키가 제공할 수 있는 '여가 즐기기'라는 가치의 측면에서는 닌텐도 Wii나 국립현대미술관이 나이키와 간접 경쟁을 벌이는 사이라는 것을 알 수 있다. 사람들이 모처럼 느긋한 여유시간을 맞아 나이키 스니커즈를 신고 한가로이 산책하며 시간을 보낼 수도 있지만 삼성전자의 VR 기기를 가지고 즐기거나 닌텐도 Wii 게임을 즐길 수 있다는 뜻이다. 그런 면에서 삼성전자는 나이키의 간접 경쟁자이고 닌텐도 Wii 역시 마찬가지이다.

레이더 스크린을 통해서 얻을 수 있는 전략적 시사점의 중요 포인트는 '간접 경쟁자'의 존재를 파악할 수 있게 해준다는 것이다. '다른 수단을 통해서 같은 가치를 제공'하는 존재는 기존의 경쟁 구도나 산업 환경을 파악하는 것으로는 잡아낼 수 없기 때문이다.

자동차 부품 제조업체 '현대 모비스' 사례로 레이더 스크린 작업을 한 번 더 알아보도록 하자. 세계적으로도 손꼽히는 자동차 부품 제조 브랜드인 현대 모비스는 자사의 고객인 자동차 메이커 업체에 제공하는 세 가지 가치를 편리함, 안전, 접근성이라고 꼽았다.

레이더 스크린 분석 프로세스의 첫 번째 단계인 고객에게 제공하는 '가치 파악'은 편의상 '안전'을 기준으로 하고 두 번째 분석 프로세스로 들어가 보자. '안전'이라는 가치를 기준으로 경쟁자를 분류하는 순서이다. 앞에서 본 것처럼 직접 경쟁자, 간접 경쟁자, 잠재적 경쟁자를 각각의 동심원에 그려보도록 한다.

현대 모비스가 반드시 고객에게 전달해야 하는 것으로 선택한 '안전'이라는 가치를 기준으로 한 동심원 중 첫 번째 직접 경쟁자에는 무엇이 있는가? 글로벌 시장에서 경쟁을 벌이는 TI라는 미국 기업과 구글이 있다. '왜 구글이 들어가 있지?'라고 의아해할 수도 있겠지만 현대 모비스와 TI는 이미 단순한 자동차 부품 제조업체의 수준을 넘어서는 지능형 소프트웨어와 부품을 생산하고 있다. 그런데 이러한 자동차를 편리하고 안전하게 운전하는 데 필요한 소프트웨어는 구글 또한 역점을 기울이며 개발하는 사업이기 때문이다. 구글은 오래전부터 자율주행차 프로젝트를 진행해오면서 운전자 없이 스스로 움직이는 자동차가 안전하게 운전할 수 있는 소프트웨어 개발에도 공을 들이고 있다. 모비스와는 그런 면에서 직접적인 경쟁자 관계에 있는 것이다.

그리고 가장 중요한 '간접 경쟁자' 단계에는 LG전자와 에스원이 있다. 두 곳 모두 '안전'이라는 가치를 다른 형태를 통해서 제공하는 기업들이기 때문이다. 특히 LG전자가 역점을 두고 진행 중인 '홈 IoT 서비스'는 모비스와 간접 경쟁자 관계에 놓여 있다. 애플은 iOS라는 운영시스템과 아이폰이나 아이패드라는 하드웨어와 소프트웨어를 생산하고 있기에 언제든지 모비스의 핵심가치를 놓고 경쟁을 벌일 수 있다. 일종의 '매크로 트렌드' 위치에 있기 때문이다.

현대모비스의 경쟁자 분류

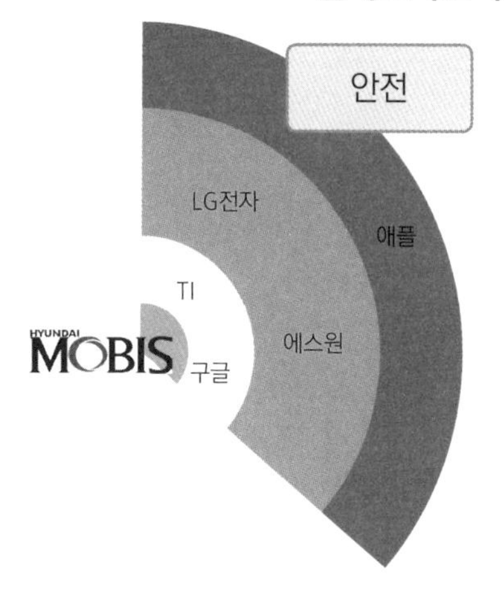

직접 경쟁자

- '안전'이란 동일한 가치.
- '자동차 부품/소프트웨어'라는 동일한 제품으로 제공

간접 경쟁자

- '안전'이란 동일한 가치.
- '홈 IoT서비스' 등의 다른 서비스로 제공

잠재적 경쟁자

- 향후 '안전'이란 동일한 가치를 줄 수 있는 기업.

이렇게 '잠재적 경쟁자' 단계에 있는 기업들이 취할 수 있는 전략적인 선택의 옵션은 거의 무궁무진하다. 따라서 어디에나 존재한다는 뜻의 '옴니omni'라는 단어를 떠올리게 한다.

그러고 보면 삼성전자가 갤럭시 시리즈를 선보이기 이전 가장 처음 만들었던 스마트폰의 광고 콘셉트가 '전지전능 옴니아'였던 것을 생각해보면 삼성은 스마트폰 시장을 정확하게 판단하고 있었다고 볼 수 있다. 다만 시기를 저울질하고 방향성에서 약간의 착오를 겪었기 때문에 애플의 독주를 한동안 지켜봐야 하는 상황에 빠졌던 것이다. 어쨌든 삼성전자는 노키아처럼 스마트폰 시대의 본격적인 도래라는 급격한 상황 변화에 한 발씩 늦었다는 공통점이 있다. 하지만 그 놀라운 역량인 빠른 실행력으로 애플을 따라잡아 이제는 전 세계 스마트폰 시장을 애플과 양분하는 위치에까지 올라갔다. 이를 보면 '내가 가장 잘할 수 있는 것이 핵심 역량이 아닐까?'라는 생각을 하지 않을 수 없다.

결국 현대 모비스는 '안전'이라는 가치를 기준으로 작성한 레이더 스크린을 통해 간접 경쟁자에 의한 경쟁 상황을 지속적으로 체크할 수 있다. 그리고 이를 통한 전략적 시사점을 도출할 수 있게 됐다.

간접 경쟁자의 존재와 그 영향력에 제대로 대비하지 않아 몰락의 위기에 빠져들었던 대표적인 사례가 바로 코닥필름이다. 코닥은 아날로그 필름 시장의 절대 강자였다. 그런데 놀라운 사실은 디지털 카메라를 최초로 발명한 회사였다는 것이다. 더욱이 1980년대에 이미 2000년대가 되면 디지털 카메라가 필름 카메라를 대체할 것이라는 정확한 보고서를 작성했을 정도로 시장 변화 예측에 탁월한 역량을 지닌 거대 기업이었다.

하지만 코닥은 '다른 수단으로 같은 가치를 제공하는 간접 경쟁자'와의 경쟁에 관심을 기울이기보다는 후지필름이나 아그파와 같은 전통적인 경쟁 관계에 집착했고 그러한 경쟁 전략을 수립하고 실행하다 시대적 흐름을 놓치고 마는 결정적인 실수를 범하게 됐다. 집에 한 대 정도 갖고 있던 필름 카메라가 아니라 큰돈 들이지 않고 누구나 가질 수 있을 정도로 가격 문턱을 낮춘 디지털 카메라의 존재가 순식간에 시장에 퍼질 것이라는 생각을 잠시 간과했던 것이다. 삼성전자와 소니와 같은 제조업체들은 자신들의 장점을 십분 활용해 저렴한 가격으로 구매할 수 있는 디지털 카메라를

후지필름의 성공적인 변신

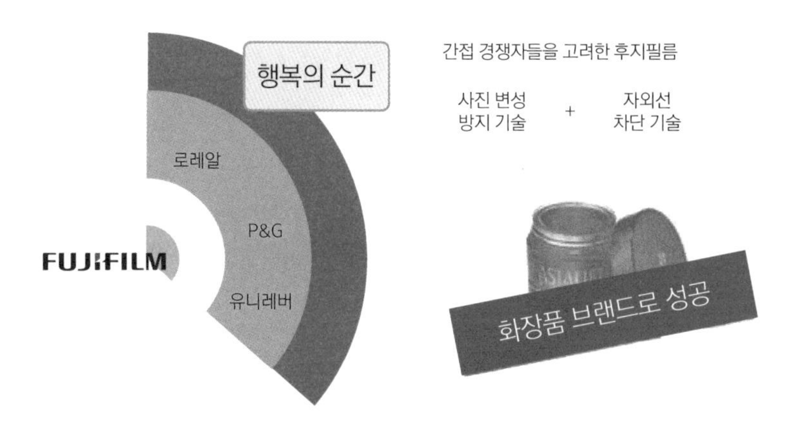

변화와 경쟁에서 생존케 하는 것은 결국 '고객 가치'이다.

쏟아내기 시작했다. 카메라 시장이 순식간에 100년 이상 지속됐던 필름 카메라 환경에서 디지털 카메라 환경으로 바뀌어버렸던 것이다. 코닥이 콧노래를 즐기며 꿀을 빨던 시장은 문득 정신을 차리고 보니 사라지고 없어진 것이다.

이렇듯 코닥은 디지털 카메라의 습격을 받고 허무하게 쓰러졌다. 반면 시장의 만년 2인자였던 후지필름은 오히려 이때 기회를 발견하고 성공적인 변신과 재도약에 성공한다. 후지필름은 눈앞에서 쓰러지는 코닥을 보면서 자사가 고객들에게 제공하는 가치가 무엇인지를 새롭게 파악한 것이다. 그래서 아날로그 필름 제조의 핵심 기술인 콜라겐 변성방지 기술과 자외선 차단 기술을 활용해 아무도 예상치 못했던 기능성 화장품 시장으로 진출하게 된다.

필름의 원자재인 콜라겐 변성방지 기술은 여성들의 피부 노화를 방지하는 데 탁월한 경쟁력이 될 수 있었고 자외선 차단 기술 역시 여성들의 기미, 주근깨 방지, 자외선 차단 화장품에 대한 욕구를 훌륭히 충족시킬 수 있었다. 이렇듯 후지필름은 자사의 핵심 기술을 활용해 '아스타리프트ASTALIFT'라는 화장품 브랜드를 론칭해 성공한 것이다.

요즘과 같이 산업 구분 자체가 무의미해지는 상황에서는 '간접 경쟁자'와의 경쟁이 아주 중요하다. 하지만 전통적인 경쟁 구도로는 파악되지 않아 쉽게 간과되고 있다. 그저 유달리 촉과 감이 발달한 사람들만이 '뭔가 이상한데. 불길해.'라며 경계하지만 그 불안함의 실체를 쉽게 파악하지 못해 공격을 허용하는 불상사를 맞기도 한다. 잠시 한눈을 팔았을 뿐인 거대 기업 코닥과 노키아를 순식간에 몰락의 구렁텅이로 빠뜨려버린 것처럼 말이다.

지금 우리는 기존의 상식을 벗어나 산업의 구분을 무색하게 만드는 초월적 경쟁이 빈번한 '초경쟁 시대'로 들어서고 있다. 하지만 이렇게 급격한 변화의 시대에도 '레이더 스크린'이라는 분석 툴의 유용함은 더욱 빛이 난다. 아무도 생각지 못했던 '간접 경쟁자'의 존재를 한눈에 들어오게 했을 뿐만 아니라 우리가 고객들에게 제공하는 '가치'의 중요함을 일깨워주었기 때문이다.

우리만이 가진 차별적 역량을 키워라

지금까지 격변하는 환경에서 생존하기 위해 올바른 전략 수립에 필요한 '다섯 개의 눈' 중 네 가지를 살펴보았다. 이제 우리의 발걸음은 마지막 단계인 '자사Company 분석'에 도착했다. 앞서 말한 후지필름의 극적인 변신은 '자사 분석'에도 시사하는 바가 매우 크다. 어떠한 새로운 환경이 도래하고 어떠한 경쟁 상황에 직면하더라도 그것을 견뎌내고 승리할 수 있는 근본적인 힘은 바로 '역량' 그것도 '우리만이 가진 차별적 역량'인 '핵심 역량'이라는 사실을 일깨워주는 사례이기 때문이다.

이렇게 위기와 몰락의 순간에 자사의 핵심 역량이나 기술을 통해 극적인 생존과 변신의 계기를 찾아낸 곳은 후지필름만이 아니다. 셀룰러폰 시장에서 세계 최강을 자랑하던 노키아도 마찬가지이다. 코닥필름이 디지털 카메라를 처음 만들었던 것처럼 세계 최초의 스마트폰 역시 노키아에서 만들었다. 참 얄궂은 우연이 아닐 수 없다. 하지만 노키아는 자사가 지배하던 셀룰러폰 시장에 대한 미련을 버리지 못하고 잠시 스마트폰 시장의 변화를 놓친 바람에 몰락의 위기에 직면하게 됐다.

그러나 이런 절체절명의 상황에서 노키아 경영진들이 생각한 것은 '우리의 핵심기술은 무엇인가'였다. 결국 노키아는 지난 2013년 셀룰러폰 사업부를 매각하고 기존의 거대한 몸집을 버리는 과감한 변신을 시도했다. 그들의 핵심 기술인 무선통신 중계기 기술 분야에 집중한 것이다. 이로써 현재 노키아는 전 세계 주요 무선통신 사업자 10곳 중 9곳에서 사용하는 세계 시장 점유율 30.5%를 자랑하는 무선 통신 중계기 제조업체의 강자로 탈바꿈하는 데 성공했다. 우리는 후지필름이나 노키아 사례를 통해 자기 자신의 강점으로 승부한다면 누구나 다시 성공할 수 있다는 것을 알 수 있다.

현재와 같은 대격변 시대에는 예전과 같은 느긋한 경쟁 전략을 수립하고 실행할 여유가 없다. 즉 약점을 보충해 경쟁에 임할 짬이 없다는 것이다. 결국 전략적인 큰 방향성은 분명하다. 강점을 더욱 극대화시켜 그것으로써 경쟁에 맞서고 승리해야 한다는 점이다. 빨리 실행해보고 수정하고 다시 실행하며 강점을 더욱 보충하고 키워서 작은 승률을 높여 큰 승리를 쟁취해야 한다. 그러기 위해서는 잘하는 것을 더욱 잘하게 해서 누구도 따라올 수 없을 만큼 탁월한 능력을 갖추어야 한다. 그것만이 뷰카 시대, 초경쟁 시대, 대격변 시대를 관통하며 기업이 살아남을 수 있는 거의 유일한 길이다.

'다섯 개의 눈'의 마지막인 '기업 분석'에서 가장 주목해야 하는 것이 '핵심 역량'인 것은 그런 이유에서이다. 우리가 아니고서는 도저히 해낼 수 없는 고유하고 독자적이며 궁극적인 능력이 바로 '핵심 역량'이다. 핵심 역량이 무엇인지를 정확하게 파악하고 어떻게 활용할 것인지를 결정하게 된다면 뷰카 시대에 맞설 전략 수립은 완성된다. 물론 이때 각 단계에서 적용했던 분석 툴에서 도출된 전략들 중 어떤 것을 선택할 것인지 역시 전략적으로 접근해야 한다.

이렇게 중요한 '핵심 역량'에 대해서는 다양한 설명이 있다. 그

중에서도 나의 유학시절 은사이자 '자원기반이론Resource-Based Theory'의 거장인 유타대 제이 바니Jay B. Barney 석좌 교수의 설명을 들어보자. 제이 바니 교수는 핵심 역량을 "세상이 어떻게 변하든 여전히 경쟁 우위의 근간이 되는 것"이라고 명쾌하게 설명한다. 사람들의 머릿속에 '딱!' 하고 떠오르는 브랜드 이미지 혹은 회사에 대한 생각이 바로 이 핵심 역량이다. 핵심 역량을 갖추어야 기업은 격변의 시대를 헤쳐나갈 수 있는 능력을 얻게 되는 것이다.

'브리오' 분석으로 핵심 역량을 찾아라

기업의 핵심 역량이란 '우리가 아니고서는 도저히 해낼 수 없는 고유하고 독자적이며 궁극적인 능력'이다. 이 말을 다시 설명해보면 기업의 핵심을 이루는 능력이고 기업 내부의 조직원들이 보유한 총체적인 기술, 지식, 문화 등을 망라한 것이라고 할 수 있다. 문서나 다른 형식의 자료로 정리된 유형의 자산과 조직 구성원들 각자의 머릿속에 들어 있는 형태로 존재하는 암묵지도 핵심 역량의 일부가 될 수 있다.

그리고 이러한 핵심 역량은 경쟁기업과 차별화되는 활동을 가능하게 해주는 것으로 경쟁기업에 비해 훨씬 우월한 능력을 통해 고객들에게 만족을 제공할 수 있는 활동을 말하는 것이기도 하다. 또한 핵심 역량은 지속적인 학습과 공유를 통해 더욱 향상될 수 있는 것이기도 하다. 유형의 자원처럼 사용함에 따라서 닳아 없어지지도 않고 쓰면 쓸수록 더욱 발전되는 것이기도 하다. 다음 그림은 세계적으로 유명한 몇몇 브랜드들과 그들의 핵심 역량을 서로 연결선으로 이은 것이다. 여러분이 생각하는 것과 얼마나 일치하는지 잠시 살펴보기 바란다.

요즘과 같은 대격변의 시대에 그 중요성이 더욱 높아지는 핵심 역량이라는 용어를 제일 처음 사용한 사람은 게리 하멜Gary Hamel이다. 그는 핵심 역량을 "모방할 수 없고 대체할 수 없고 조직 내부의 다른 곳으로 전이 가능하다. 또 다른 곳에서는 찾기 어려우며 희소성이 있고 오래도록 지속될 수 있는 내구성이 있는 것."이라고 설명했다. 그는 기업들이 이와 같은 자기만의 핵심 역량을 중심으로 지속적인 성장을 추구하는 것이 필요하다고 주장한다.

그렇다면 핵심 역량 프로파일링은 어떻게 찾아낼 수 있는가? 제이 바니 교수는 핵심 역량은 '유형의 자원'과 '무형의 자원' 그리고 '케이퍼빌러티Capability'로 이루어졌는데 '브리오VRIO 분석'을 통해 찾을 수 있다고 한다. 우리는 가치Valuable, 희소성Rare, 모방가능성Inimitable, 조직 특화가능성Organizationally Specific의 약자인 브리오 분석 도구를 사용함으로써 기업의 핵심 경쟁력인 '내부 핵심 역량'을 확인할 수 있다.

브리오 분석은 두 가지 프로세스로 진행된다. 그 첫 번째 단계가 우리가 영위하는 사업의 '업業의 본질'을 통해 핵심 성공 요인을 찾

각 기업의 핵심역량

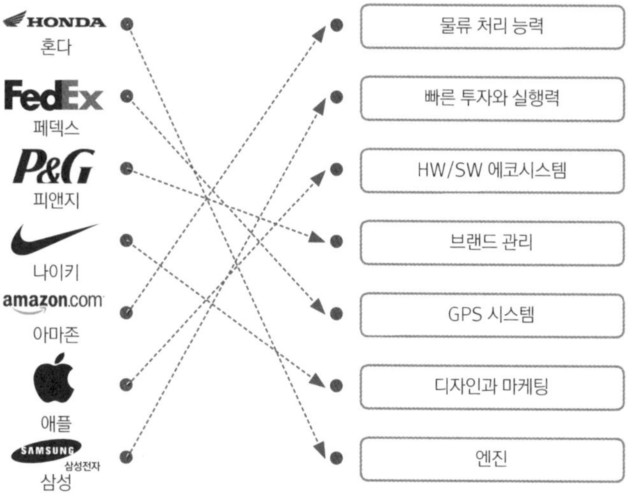

HONDA
혼다
FedEx
페덱스
P&G
피앤지
나이키
amazon.com
아마존
애플
SAMSUNG 삼성전자
삼성

물류 처리 능력
빠른 투자와 실행력
HW/SW 에코시스템
브랜드 관리
GPS 시스템
디자인과 마케팅
엔진

각 분야의 잘나가는 기업들은 저마다의 핵심 역량을 갖고 있다

아내는 과정이다. 두 번째 단계가 브리오라는 네 가지 요소를 활용해 진짜 핵심 역량을 파악해내는 것이다. 우리 회사의 핵심 역량이 무엇인지를 파악하기 위해서는 우선 우리 업의 본질을 되돌아봐야 한다는 것이다. 그리고 브리오라는 단어에서 유추할 수 있는 것처럼 '우리 업의 본질이 고객에게 가치를 제공할 수 있는가?' '이 역량을 보유한 기업은 소수인가?' 그리고 '이 역량은 다른 기업에 의해서 쉽게 모방이 가능한가?' 마지막으로 '우리 조직은 이 역량에 맞게 특화되어 있는가?'라는 질문에 스스로 답을 찾아내야 한다.

그렇다면 사업 성공의 핵심요소인 업의 본질은 무엇인가. 이동통신 회사라면 '통신 인프라'일 것이고 온라인 게임 회사라면 '매력적

스타벅스의 브리오 분석 결과

자원/케이퍼빌러티	V	R	I	O
Wifi 인터넷 연결	○			
연구 개발력	○			
인적자원 관리	○			
각 대리점 위치	○	○		
고품질의 상품군	○	○		
사회적 기업 이미지				
직원 복지		○	○	
커피 농가와의 관계	○	○	○	○
고객 경험	○	○	○	○
널리 알려진 브랜드	○	○	○	○

경쟁우위를 만들어낼 핵심역량

주관적 판단과 객관적 결과는 늘 차이가 있다.

인 콘텐츠'가 될 것이다. 브리오는 업의 본질을 파악하기 위한 질문과 그것을 풀이해내기 위한 도구이다. 이 분석도구를 사용해서 우리의 역량을 객관적으로 검증해야 한다. 이를테면 스타벅스라는 유명 브랜드의 업의 본질은 과연 무엇일까? 스타벅스가 생각하는 스스로의 핵심요소는 브랜드 파워, 고객 경험, 근접한 대리점, 맛있는 커피였다. 그런데 스타벅스의 이러한 핵심요소를 포함한 다양한 항목을 브리오라는 객관적인 도구로 분석해보면 스스로가 생각하는 것과는 다소 차이가 있는 결과가 나타난다.

스타벅스의 브리오 분석 결과를 보면 스타벅스의 경쟁우위를 만들어낸 핵심 역량은 커피 농가와의 관계, 고객 경험, 널리 알려진 브랜드로 나타났다. 놀랍게도 수많은 커피 브랜드 중에서 스타벅스만이 유일하게 커피 농장을 직접 소유하고 운영하고 있었다. 이렇게 브리오를 통해 어떤 기업의 핵심 역량을 찾아보면 그것이 유형의 자원과 무형의 자원 그리고 능력 등의 형태로 나뉠 수 있다는 사실을 발견하게 된다.

핵심 역량은 어떻게 발휘되는가

그렇다면 이렇게 브리오 분석을 통해 찾아낸 핵심 역량은 경영 현실에서 어떻게 발휘되는가? 과연 핵심 역량은 위기에 빠진 기업에게 구원의 손길이 되어줄 수 있는 것일까? 제이 바니 교수가 한 말 "세상이 어떻게 변하든 핵심 역량은 여전히 경쟁 우위의 근간이다."를 상기하고 실제의 경영 사례를 통해 핵심 역량의 진면모를 알아보도록 하자.

맥도널드는 누구나 아는 세계 최대의 패스트푸드 브랜드이다. 그런데 이런 햄버거 제국 맥도널드에도 짙은 그림자가 드리워지기 시작했다. 맥도날드는 버거킹과 웬디스 같은 경쟁자의 등장과 쉐이크쉑 버거, 인앤아웃버거, 파이브 가이즈 햄버거 등과 같은 니치 마켓을 장악하는 작지만 성가신 경쟁자들과의 치열한 경쟁으로 조금씩 지쳐가고 있었다.

그 와중에 전 세계를 강타한 '웰빙 트렌드'는 패스트푸드의 대명사인 맥도널드에게는 직격탄이 됐다. 「슈퍼사이즈 미」라는 다큐멘터리 영화가 기름에 불을 붙여버리면서 맥도널드 제국의 주가는 끝도 없이 추락하며 '이러다가 맥도널드가 문 닫는 것 아니야?'라는 말이 나올 정도로 휘청거리기 시작했다. 특단의 대책이 필요했던 맥도널드의 경영진은 고민 끝에 '고급화 전략'을 들고 나왔다. 다양한 종류의 햄버거 빵을 준비해 고객들 선택의 폭을 넓혔고 웰빙 트렌드에 맞춰 샐러드 메뉴에도 관심을 쏟아 기존의 플라스틱 용기에 담아 제공하던 것을 고급스러운 유리그릇에 담는 등 여느 고급 수제 햄버거 브랜드에 뒤떨어지지 않는 품질의 햄버거를 제공하기 시작했다.

그런데 이러한 전략은 기대했던 것과는 전혀 다른 반응을 가져왔다. 고급화에 따른 어쩔 수 없는 원가 상승은 가격 인상으로 이어졌고 이에 고객은 볼멘소리를 했다. 다양한 선택안이 제공된 햄버거를 제조해야 했기 때문에 제조시간 역시 늘어났다. 그러다 보니 '패스트푸드의 대명사'로 불리던 맥도널드의 획기적인 햄버거 제조시간을 지킬 수 없게 됐고 "왜 이렇게 오래 걸려요?"라는 고객들의 불만에 직면하게 됐다. 이로써 위기 탈출을 위한 맥도널드의 고급화 전략은 전혀 효과를 보지 못하고 오히려 위기를 가중시키는 치명적인 결과를 만들고야 말았다.

결국 이러한 악재의 연속으로 2014년 맥도널드는 창사 60년 만에 최악의 성적표를 받아들게 됐다. 순이익이 전년 대비 무려 15% 감소했고 매출 역시 2.4%나 감소했다. 창사 이래 거의 매년 성장을 거듭하던 전설적인 브랜드는 예전에는 전혀 경험하지 못했던 위기를 맞아 크게 휘청거리게 됐다. 이런 최악의 위기에서 경영진은 이 뼈아픈 실책의 원인을 철저하게 분석했다. 그리고 패스트푸드라는 업의 본질에서 벗어났기 때문이라는 것을 파악하게 된다. 결국 맥도널드는 웰빙 트렌드라는 거대한 변화에 어정쩡하게 발맞추기보다는 자신들이 누구보다 잘하는 핵심 역량으로 되돌아가기로 과감한 결정을 내리게 된다. '맥도널드는 패스트푸드다.'라는 사실에 집중해 다시 맥도널드 특유의 저렴한 가격과 빠른 제조시간을 되살린 것이다.

맥도널드는 고객에게 제공되던 메뉴의 수를 절반 이하로 줄여버려 숙련된 종업원들이 햄버거를 만드는 시간을 최대한 단축할 수 있도록 했고 고객들의 대기시간을 줄이는 데 집중했다. '웰빙 트렌드'를 따르지 않으면 어려울 것이라는 세간의 예상과는 달리 본래의 모습으로 돌아간 맥도널드의 결과는 매우 놀라웠다. 2014년 최악의 실적을 기록했던 매출은 2015년 4분기에 5.7% 성장이라는 놀라운 기적을 일으키게 된다.* 맥도널드의 놀라운 부활은 제이 바니 교수가 한 말 "세상이 어떻게 변하든 핵심 역량은 여전히 경쟁우위의 근간이다."의 분명한 증거가 됐다.

* http://www.ttimes.co.kr/view.html?no=2016012809227791931

핵심 역량으로 위기를 극복하라

맥도널드를 다시금 부활의 길로 인도한 것은 결국 그들의 핵심 역량이었다. 이런 사례는 많이 있다. 덴마크에서 가장 유명한 기업으로 손꼽히는 '레고'의 예를 하나 더 보자. 알록달록한 조립식 블록 완구로 유명한 레고는 창사 이래 전 세계 어린아이들의 가장 친한 친구가 되어왔고 끊임없는 성장을 거듭하는 것으로도 유명한 브랜드였다.

그런데 이렇게 탄탄하던 레고의 앞날에도 그림자는 드리워지기 시작했다. 레고 블록에 대한 독점 특허기간이 만료되면서부터 '옥스퍼드 브릭스' '메가 블록스'와 같은 경쟁자들이 만료된 특허를 활용해 레고와 똑같은 조립 블록을 훨씬 싼 가격으로 엄청나게 생산해 판매하기 시작한 것이다. 이런 현상이 나타나기 시작한 1994년부터 레고의 매출은 급감했고 퓨처스 휠의 간접 경쟁자인 소니의 플레이스테이션이나 마이크로소프트의 x박스 그리고 컴퓨터와 케이블 TV 등의 보급을 통해서도 깊은 타격을 받기 시작했다.

그런데 이처럼 처음 겪는 깊은 위기 상황에서 레고의 경영진은 더더욱 최악의 실수를 저지르고야 말았다. 마치 맥도널드가 위기 탈출을 위해 비상 전략을 세운 것이 오히려 상황을 악화시키는 사태를 가져왔던 것처럼 말이다. 레고의 경영진은 '조립 블록 장난감' 시장에 저가 생산능력을 무기로 치고 들어온 경쟁자들과의 전면전이 아닌 관련 분야로의 사업 다각화라는 해법을 들고 나왔다.

레고 블록의 핵심 고객인 아이들을 겨냥한 다양한 제품, 즉 아동복, 시계, 출판, 영화, 게임 산업 등으로 진출했다. 테마파크인 '레고랜드'를 개장했다. 또 본연의 조립 블록 사업 분야에서도 일반적인 사이즈와 모양의 범용 블록이 아닌 특수한 모양의 블록 개수를 늘리는 조치를 단행했다.

그러나 레고의 이러한 비상 경영 조치는 오히려 역효과를 불러왔다. 1978년에서 1993년까지 해마다 연평균 14%씩 성장을 거듭하다가 1993년을 매출 정점을 기점으로 하락했고 1998년에는 창사 이래 최초의 적자(4,800만 달러)를 기록했으며 그 이듬해인 1999년에는 본사 직원 1,000명을 해고해야 할 정도로 위기에 빠지게 됐다. 결국 레고도 맥도널드처럼 자신들만의 고유한 핵심 역량에 집중하는 방법으로 되돌아왔고 그동안 벌려놓았던 관련 사업들을 하나씩 정리했다. 영화와 게임 산업은 라이센싱 사업으로 전환해 직접적인 투자나 관리행위에 사내 자원을 배분하지 않도록 했으며 본연의 사업인 조립 블록 사업은 더욱 강화해서 고객층 자체를 확장시키기 위한 전략의 하나로 성인들을 위한 블록 라인을 추가시켰다.

이렇게 본래의 핵심 경쟁력으로 회귀한 레고의 실적은 다시금 성장하기 시작했고 2005년 이후 현재까지 10년 연속 매출 증가를 기록 중에 있다. 특히 2015년에는 '세계에서 가장 영향력 있는 브랜드 1위'에 선정될 정도로 사업은 다시금 제 궤도에 오르는 것에 성공했다.

우리 기업의 핵심역량

약 → 중 → 강

역량	고객에게 가치를 줄 수 있는가? Valuable	우리만 독자적으로 가지고 있는 것인가? Rare	아무나 외부에서 사올 수 없는 것인가? Inimitable	우리 조직이 이 역량에 맞게 특화돼 있는가? Organizationally	역량

2) 브리오로 검증

1) 우리 기업의 핵심역량을 찾고

우리가 생각하는 핵심 역량을 객관적으로 검증하기 위한 분석도구 브리오

맥도널드와 레고와 같은 시장 지배자이자 강자들도 환경 변화에 잘못 적응하면서 큰 위기를 겪게 되고 올바르지 못한 대응 전략을 통해 위기를 더욱 가중시키게 됐음을 살펴보았다. 그들은 자신들의 업의 본질인 핵심 역량에 집중하는 방법으로 성공 궤도로 돌아올 수 있었다. 핵심 경쟁력은 기업이 어떠한 상황에 부닥치게 되더라도 그것을 탈출할 수 있는 원동력이 된다. 그리고 브리오 분석을 통해 스스로 생각하는 자신의 역량과 객관적으로 도출된 역량 사이의 간격을 확인하고 자신만의 경쟁력인 핵심 역량을 찾을 수 있다는 것도 알게 됐다.

우리는 '다섯 개의 눈'의 마지막 도구인 '브리오 분석'을 통해 자사의 핵심 역량이 무엇인지에 대해 객관적인 시각과 결과를 얻을

수 있었다. 이제는 우리 회사만의 브리오 분석을 해보도록 하자. 다음의 준비된 양식을 채워 넣으면서 우리 회사의 핵심 경쟁력은 무엇인지, 그리고 그것을 통해 도출된 핵심 역량이 전략 설정에 어떻게 반영될 수 있는지도 생각해보도록 하자.

이상으로 올바른 전략 수립을 위한 '다섯 개의 눈'을 모두 살펴보았다. 우리는 이러한 다양한 분석 툴을 통해서 새로운 경영 환경에 대한 올바른 정보를 수집하고 분석해낼 수 있다. 그리고 그렇게 해서 도출된 각종 사업 아이템에 대한 전략과 아이디어들을 구체화함으로써 새로운 시대를 새로운 기회로 맞이할 수 있을 것이다.

다시 문제는 전략이다!

2부

4차 산업혁명 시대, 혁명의 주체가 돼라!

CEO는 솔선수범하는 조직의 리더이지만 한편으로는 냉정한 전략가이기도 하다. 또한 조직이 무기력감과 절망감에 빠져 있다면 활기를 불어넣는 것이 바로 임무이고 역할이다. 미래를 여는 CEO라면 끊임없이 냉철함을 유지하면서 과감하게 실행하고, 재빠르게 수정하며, 또 실행하고 수정하면서 한 발 한 발 앞으로 나아가야만 한다.

2부에서는 전략 수립의 3단계 중 '센싱'에 이어 '실렉팅'과 '세팅' 단계를 살필 것이다. '센싱'으로 수집한 전략 중에서 무엇을 어떻게 제대로 고를 것이다. 그리고 그 '실렉팅'한 전략을 또한 어떻게 과감히 실행할 것인지를 다룰 것이다. 당연하게도 전략의 가치는 그것의 수립이 아닌 실천에 있다. 이제 우리가 직면하고 있는 경영 현실은 고객에게 어떤 가치를 전달할 수 있느냐에 따라서 그 성패가 갈라진다는 뜻이다.

실로 고객이 느끼는 가치가 우리의 미래를 결정할 것이다.

당신은 미래를 뚫고 나갈 전략가인가?

6장

실렉팅, 최적의 전략을 선택하라

S t r a t e g y 4 . 0

내게 맞는 무기가 가장 좋은 무기이다

지금까지 '다섯 개의 눈'이라는 경영 분석 툴을 통해 우리 사업을 둘러싼 여러 층위의 경영 환경을 분석하는 작업에 대해 알아보았다.

페스트 분석을 통해서 거시환경을 추적해봤고 마이클 포터의 통찰력 넘치는 5 포스 모델 분석을 통해서 우리 사업이 속한 산업이 수익이 날 만한 곳인지 아닌지 등에 대한 매력도를 알아보았다. 또한 퓨처스 힐을 통해서 트렌드를 어떻게 사업 아이디어로 연결할 수 있는지 살펴봤다. 그리고 레이더 스크린 분석을 통해서는 고객이 느끼는 '가치'를 기준으로 경쟁자를 구분하는 획기적인 발상과 그 필요성에 대해서 인식하게 됐다. 즉 아날로그 필름 시장의 절대 강자였던 코닥이 전자 회사의 디지털 카메라에 의해 무너진 것을

'간접 경쟁자'라는 개념을 통해 정확하게 해석해낼 수 있었다. 결국 상황이 어떻게 변화하고 어떠한 환경이 도래하더라도 그것을 견뎌내고 승리할 힘은 '핵심 경쟁력'이라는 사실을 브리오 분석으로 설명할 수 있었다.

이러한 '다섯 개의 눈'이라는 분석 작업을 했던 이유는 효과적인 경영 전략을 수립하는 데 필요한 올바른 정보를 수집하고 그것을 제대로 분석하기 위해서였다. 예민하고 정확한 감각으로 필요한 정보를 추려내고 올바르게 가공해내는 과정이다. 따라서 나는 이 단계를 '센싱Sensing'이라는 말로 설명하고 있다. 이 단계를 올바르고 정확하게 거친다면 우리는 흔하게 접할 수 있고 아무런 가치가 없는 사실 그 자체의 정보인 '팩트', 그리고 누군가의 시각이 고스란히 드러나 있는 '의견Opinion'과 같은 단순한 '정보Information'가 아니라 올바르게 '정제된 정보Intelligences'를 손에 쥘 수 있다.

그렇다면 이제는 이러한 정보 작업을 통해 올바른 전략을 수립하는 본격적인 작업에 들어가 보도록 하자. 나는 이 두 번째 단계를 '실렉팅Selecting'이라고 부른다. 첫 단계의 '센싱' 작업 과정에서 도출된 여러 가지 아이디어 중 몇 가지 기준에 의해 최종적으로 실행에 옮겨야 할 전략을 '선택'할 수 있기 때문이다.

제아무리 훌륭한 아이디어가 도출됐다고 하더라도 우리 사업과 아무런 연관이 없다면 선택할 이유는 없다. 게다가 요즘처럼 급변하는 상황에서는 환경에 적응하는 것만으로도 상당한 자원을 써야 하기에 더욱 그렇다. 따라서 그 아이디어가 우리 사업과 얼마나 연관성이 있고 또 얼마나 전략적으로 중요한지를 따져서 선택해야 한다. 또한 '다섯 개의 눈'을 통해 도출된 아이디어 중에서 어떤 것을 선택할 때 그것이 조직 내부에 얼마나 공감대를 형성할 수 있는지도 중요한 기준이 되어야 한다. 직원들은 별로 관심이 없는데 오로지 CEO만이 "이거야, 우리 미래는 여기에 있는 거야."라고 한들 그 전략이 제대로 실행되기는 어렵기 때문이다.

전략 아이디어 선정은 우리 사업과의 연관성은 높은지, 우리의 현재 상황에서 선택과 실행이 가능한 것인지 등을 기준으로 이루어져야 한다. 즉 그것이 진정 중요한 것인지 그리고 할 수 있는 것인지가 가장 중요한 기준이어야 한다.

'전략적 중요성'과 '실행 가능성'을 살펴라

나이키 예를 다시 보자. 나이키는 레이더 스크린 분석을 통해 고객들에게 '같은 가치'를 제공하는 경쟁자들의 움직임과 동향을 파악함으로써 새로운 사업 아이디어와 전략 수립에의 아이디어를 얻을 수 있게 됐다. 우리의 경쟁자는 어떠한 트렌드에 맞춰 행동하고 있는가? 경쟁자가 가진 차별적인 기술이나 역량은 무엇인가? 그리고 우리의 고객군과 가장 유사한 고객군을 가진 경쟁자의 최근 동향은 어떠한가? 우리와 가장 유사한 제품 포트폴리오를 가진 경쟁

레이더 스크린 분석을 통해 도출된 나이키의 전략 후보군

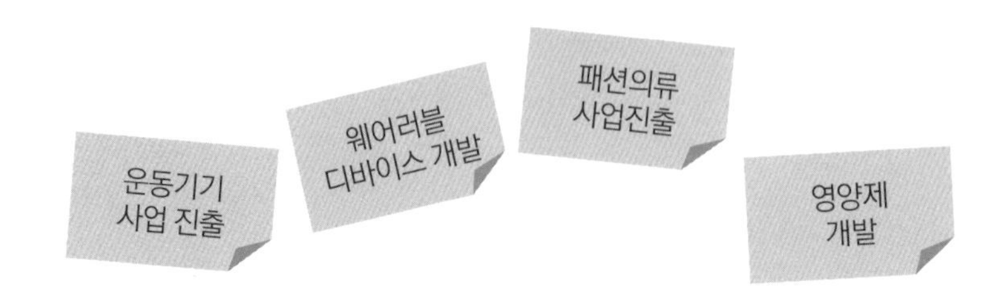

이 중 어떤 것을 골라야 할지 선택 기준이 필요하다.

자의 가장 최근 동향은 또 어떠한가? 등의 경쟁자 트렌드에서 전략 아이디어를 도출할 수 있다는 것을 설명했다.

그렇다면 나이키는 이러한 레이더 스크린을 통해 어떠한 전략 아이디어와 전략 후보군을 도출해낼 수 있었을까? 위 그림은 레이더 스크린 분석을 통해 나이키가 도출해낸 네 가지 전략 후보군의 예이다. '운동기기 사업 진출' '웨어러블 디바이스 개발' '패션의류 사업진출' '영양제 개발' 등 각각의 항목들은 신뢰할 만한 방법으로 수집된 정보를 바탕으로 한 합리적인 사업 아이디어들이라는 점은 분명하다. 하지만 제아무리 큰 기업이라고 하더라도 자원을 무한정 투입할 수는 없는 노릇이다. 일정한 기준에 의해서 도출된 전략 후보군 중에서 어느 하나를 선택해 실행에 옮겨야 한다. 실제로 전략적 선택이란 무엇을 할 수 있고 무엇을 할 수 없는지에 대한 끊임없는 확인 과정이라 할 수 있다.

각 전략 후보군 평가

		전략적 중요성					실행 가능성					합계
		1	2	3	4	5	1	2	3	4	5	
		매우 낮음	낮음	보통	높음	매우 높음	매우 낮음	낮음	보통	높음	매우 높음	
1	웨어러블 기기 개발					○				○		9
2	패션의류 진출		○							○		6
3	운동기기 개발				○			○				6
4	영양제 개발	○						○				3

도출된 전략 후보군에 대한 평가를 수치화한 것이다.

이때 그 선택의 기준이 되는 것이 바로 전략적 중요성과 실행 가능성이다. 이 두 가지 선택 기준은 각각의 세부 기준을 포함하고 있어야 한다. 먼저 전략적 중요성에는 이 전략이 '지속 가능한 것인가'가 포함되어야 한다. 기업으로선 한번 선택한 전략을 한 분기 혹은 반년 또는 1년만 실행하는 것이 아니라 긴 기간 동안 반복적으로 실행함으로 더 많은 성과와 수익을 낼 수 있다면 훨씬 좋기 때문이다. 게리 하멜이 말한 핵심 역량의 지속 가능성과 맥을 같이 하는 기준이다.

그다음은 '다른 사업에도 긍정적인 영향을 미칠 수 있는가?'이다. 기업 내의 다른 사업부 등도 새로운 전략의 실행으로 도움을 얻을 수 있다면 그것을 선택하는 것이 좋을 것이기 때문이다. 게리

하멜은 이를 전이 가능성으로 표현한다. 삼성전자의 반도체 사업이 스마트폰 사업이나 다른 사업부에도 긍정적인 영향을 주는 것이나 LG가 훌륭한 디스플레이를 만듦으로써 그룹 내의 다른 사업에 도움이 되는 것이 좋은 사례이다. 새로 선택한 전략이 다른 사업에도 긍정적인 영향을 미칠 수 있다면 바랄 나위가 없을 것이다.

마지막으로 '얼마나 큰 수익과 성장을 기대할 수 있는가'이다. 자본, 인력, 시간 등의 귀중한 자원을 투입하기로 했다면 더 많은 수익과 더 높은 성장을 할 수 있는 전략을 선택하는 것은 당연한 일이 아니겠는가. 어떤 전략을 선택하느냐의 문제에서 첫 번째 기준이 되는 '전략적 중요성'은 세 가지 하부 기준인 지속 가능한 것인가, 다른 사업에도 긍정적 영향을 미칠 수 있는가, 얼마나 큰 수익과 성장을 기대할 수 있는가를 충족시킬 수 있어야 한다.

그리고 두 번째 기준이 바로 '실행 가능성'이다. 제아무리 좋은 전략이라고 해도 우리 조직이 실행할 수 없으면 소용없다. 전략을 선택할 때 실행 가능성은 전략적 중요성만큼이나 중요한 판단 기준이 되어야 한다. 그리고 이 실행 가능성에도 역시 세 가지 하부 기준이 있다. 우선 예산확보 가능성이다. 전략 실행에 필요한 예산을 구할 수 없다면 그게 무슨 의미가 있겠는가?

그리고 그다음은 역량 및 시스템의 지원 여부이다. 우리 조직이 새로운 전략을 실행에 옮길 만한 역량을 갖추고 있는지 그리고 앞으로 새로운 전략이 정착되어가면서 그 실행이 체계적인 시스템이 될 수 있는지도 매우 중요한 선택 기준이 될 수밖에 없다. 한번 실행에 옮겨서 일정한 성과를 낸 전략을 다시 반복하게 될 때 더욱 능숙하게 진행시키지 못하고 매번 처음 실행하는 것처럼 시행착오를 반복할 수는 없기 때문이다. 따라서 빠른 시일 내 새로운 사업 전략을 실행하기 위한 인프라를 구축하고 성과를 지속적으로 거둘 수 있는 시스템을 마련하는 것이 중요하다.

마지막으로 '구성원들의 공감과 동의를 얻을 수 있는가?' 역시 매우 중요한 판단의 기준이 될 수밖에 없다. 결국 전략의 실행이든 새로운 사업에 뛰어드는 것이든 구성원들이 하는 것이기 때문이다. 흔히 하는 말처럼 사람은 다분히 감정적이고 또 영적인 존재이기 때문에 자신들이 좋아서 하는 일, 흥이 나서 행하는 사업이 성과가 더 좋으리라는 것은 쉽게 짐작할 수 있다. 좋아서 하는 일의 성과가 억지로 시켜서 하는 일보다 당연히 높을 테니까 말이다. 즉 전략 실행의 근원적 목적과 그 결과에 구성원이 합의하고 동의해야 한다. 나의 경험상 이 결정기준이 차지하는 비중이 매우 크다.

CJ가 연어 통조림 사업을 검토했을 때 조직원들의 눈빛은 '해보자'는 의욕으로 불타올랐다고 한다. 회사의 오랜 숙원 사업이기도 했고 참치통조림 실패를 성공으로 되갚아주겠다는 구성원들의 자발적인 동기부여가 매우 높은 수준으로 올라갔기 때문일 것이다. 결국 CJ는 '통조림 연어'라는 새로운 사업을 통해 '바다로 가자'는 오랜 숙원을 성공적으로 풀어낼 수 있었다.

나이키는 레이더 스크린을 통해 도출된 네 가지 전략 후보군을 전략적 중요성과 실행 가능성 면에서 객관적인 수치로 계량화될 수 있었다. 실제로 외부의 컨설팅 업체를 고용해도 궁극적으로 앞에서 상술한 기준을 바탕으로 최적의 전략을 추천한다. 단지 그 방법이 보다 분석적이고 정밀하다는 차이만 있다. 그리고 전략적 중요성과 실행 가능성 면에서 모두 가장 높은 점수를 받은 웨어러블 기기의 개발이 새로운 역점 사업 전략이 됐다. 현재 이 시장은 웰빙 트렌드의 여파인 운동 트렌드와 잘 맞물린 사업으로 삼성전자, 애플, 샤오미 등도 속속 뛰어드는 '핫한 시장'이 되고 있다. 나이키의 웨어러블 기기 개발 사업은 '핏빗'과 같은 직접 경쟁자 그리고 이러한 기능이 필수 앱으로 자리 잡아가는 스마트폰과는 간접경쟁자 구도를 형성하며 성장해 나가고 있다.

지금까지 우리는 전략적 중요성과 실행 가능성이라는 기준으로 새로운 전략 아이디어를 도출해낼 수 있다는 일련의 프로세스를 잠깐 살펴봤다. 여기서 우리는 전략에 대해서 돌아볼 필요가 있다. 일상생활에서조차 '전략'이라는 단어는 너무나 흔하게 들을 수 있는 말이 됐다. 하지만 과연 전략이라는 것이 무엇인지에 대해 누구도 심사숙고해본 기억은 없을 것이다. 우리는 과연 전략이란 무엇인지, 어떠한 배경에서 태어난 개념인지, 어떻게 변화와 발전을 거듭해왔는지를 살펴볼 필요가 있다.

전략은 이기기 위한 방법이다. 시대가 변화함에 따라서 그 이기기 위한 방법인 게임의 룰은 끊임없이 변화했다. 그렇듯 룰이 바뀌었으면 싸우는 방법 역시 달라질 수밖에 없고 또 바뀌어야 한다. 제아무리 거대한 함포라고 하더라도 직접 날아와 폭탄을 퍼부어대는 비행기보다 더 멀리 포탄을 날릴 수는 없는 노릇이다. 또한 아무리 강력한 엔진을 갖췄다고 한들 바다를 항해하는 배가 하늘을 나는 비행기보다 빠를 수는 없는 것처럼 말이다.

우리는 우리 사업이 속한 산업 혹은 경쟁 환경을 지배하는 게임의 룰을 정확하게 이해하고 있어야만 한다. 결국 우리가 너무도 흔하게 사용하는 전략이라는 단어는 기업이 처한 환경을 잘 이해하고 내부의 역량과 자원을 적절히 활용해 경쟁에서 이기기 위한 행동방침을 결정하는 것을 말한다. 전략은 현재의 경쟁 환경과 상황에 따라 얼마든지 신축적으로 바뀔 수 있고 또 바뀌어야만 한다. 전략을 위해서 기업이 존재하는 것이 아니라 기업을 위해서 전략이 존재하는 것이기 때문이다.

경영 전략사가 곧 경영 발전사이다

역사학자 아놀드 토인비Arnold Toynbee는 인류의 역사를 두고 "도전과 응전의 역사"라는 유명한 말을 했다. 지금까지 인류가 이룩한 모든 문명은 자연환경이나 외부 세력들로부터의 도전에 대해 응전하며 발전하고 이룩되어 왔음을 설명한 것이다. 지금도 이러한 역사 발전의 과정은 끊임없이 계속되고 있다.

기업 성장의 역사나 경영 전략의 발전 역시 예외는 아니다. 지금까지 나타난 수많은 영웅적 기업가들과 전 세계를 휩쓸었던 경영 전략 역사를 찬찬히 되돌아보면 해결하기 어려운 상황과 직면했을 때 그것을 극복하기 위한 다양한 노력의 과정에서 그러한 영웅들이 탄생했고 경영 전략이 나타나게 됐다는 것을 알 수 있다. 기업의 역사는 생각보다 매우 오래됐다. 현존하는 가장 오래된 기업은 일본의 '켄고구미'라고 한다. 건축 설계 등의 업을 하는 이 회사는 백제인 담징의 벽화로 유명한 일본의 '호류사(법륭사)'를 짓는 일에서부터 시작됐다고 한다. 1,000년이 넘는 역사를 자랑하는 기업이 여전히 '계속기업Going concern'으로 유지되는 셈이다.

우리나라에도 100년이 넘는 기업들이 있다. 두산그룹의 모태인 두산이 1890년 종로 4가에서 '박승직 상점'이라는 이름으로 시작됐고 '부채표 활명수'로 유명한 동화약품도 1897년에 설립되어 지금도 여전히 '부채표 활명수'를 생산하는 기염을 토하고 있다. 종로 세무서 뒤 먹자골목에 있는 설렁탕집 '이문옥' 역시 100년이 넘는 역사를 자랑하고 있다.

하지만 우리가 생각하는 보편적인 의미의 '기업'과 '경영'의 역사는 제2차 세계대전 종전에서부터 시작됐다고 볼 수 있다. 미국은 히틀러의 나치 제국이 온 유럽을 침공함으로써 시작된 제2차 세계대전을 방관하고 있었다. 그러다가 나치가 급기야 영국까지 점령하려는 야심을 보이자 결국 참전을 결심하게 된다. 강력한 히틀러의 나치 제국도 미국의 전시동원 체제가 쏟아내는 압도적인 물량 공세와 '노르망디 상륙작전'을 계기로 흔들렸다. 제2차 세계대전의 전황은 급속하게 미국이 가세한 연합군 측으로 기울기 시작했다. 결국 나치는 몰락했으며 히틀러는 자살로써 비극적인 생을 마감하게 됐다.

그런데 왜 본격적인 기업 경영과 자본주의가 제2차 세계대전 종전 이후부터 시작됐다고 보는 것일까? 당시 유럽과 미국의 상황이 어땠는지부터 살펴보자. 유럽 전체가 쑥대밭이 되어 변변한 생산시설 하나 제대로 남아 있는 것이 없을 정도로 초토화됐다. 하지만 상대적으로 승전국인 미국 본토에는 전쟁의 물리적인 여파가 미치지 못했다. 미국의 생산시설은 전쟁과는 무관하게 고스란히 보존될 수 있었을 뿐만 아니라 게다가 전시동원 체제를 통해서 막대한 생산능력을 풀가동하며 어마어마한 위력을 뽐낼 수 있었다. 참전을 결정한 1940년부터 미국은 GDP의 40%를 사용하는 물량공세에 돌입했다. 그 이전까지 약 1.5% 정도의 GDP를 국방비에 사용하던 것에 비하면 '작정하고 뽑아낸 미국의 생산능력'이 얼마나 가공할 만큼 엄청난 위력을 보였는지를 짐작할 수 있다.

미국과 자웅을 겨뤄보겠다는 중국이 이제 겨우 자체 제작한 첫 번째 항공모함을 건조하는 것에 비해 이미 제2차 세계대전 당시의 미국은 이름도 갖지 못한 채 전쟁터로 출항하는 항공모함을 쏟아낼 정도로 막대한 생산 능력을 갖고 있었다. 결과적으로 유럽 전체의 생산 기반은 제1차 세계대전과 제2차 세계대전으로 초토화됐던 데 반면 미국은 아무런 손해도 입지 않았으면서 전시동원 체제를 통해서 절정의 생산능력을 갖추게 된 것이다. 미국은 종전 이후

유럽 전역에서 시작된 거대한 전후 복구 사업에 참여할 수 있는 현실적인 능력을 갖춘 유일한 나라였다. 따라서 당시 미국은 기축화폐인 달러화를 중심으로 '깃발만 꽂으면 성공한다'는 말이 나올 정도로 엄청난 기세로 성장하기 시작했다.

제2차 세계대전 이후 '자본주의=미국'이라는 공식이 만들어졌고 거대 다국적 기업이 등장하면서 현대 자본주의의 역사가 시작됐다. 이때부터 시작된 자본주의를 '신자본주의'라고도 부른다. '구자본주의'처럼 식민지 개척을 하지 않고 전후 복구 사업이 활발하게 진행되던 유럽 시장 등으로의 진출을 통해 수요처를 발굴한 것이다.

당시 유럽 지역과 아시아 지역 등에는 변변한 생산시설과 경쟁자가 없었다. 그야말로 누구에게나 '깃발을 먼저 꽂는 자가 승리하는 게임'이었다. 따라서 이 시기의 기업들은 경영 전략의 필요성을 전혀 느끼지 못했다. 어떤 산업이든 앞다투어 진출하는 것이 승리의 비결로 통했다. 덕분에 미국뿐만 아니라 대대적인 전후 복구 사업이 진행되던 유럽 지역 모두 경제가 큰 폭의 성장을 거듭하고 있었다. 그리고 이를 위해 각종 규제가 완화됐고 기존 기업들에 대한 매수와 합병 등의 일이 빈번하게 일어났다. 한편 유럽은 거대 단일시장을 통한 효율적인 경제발전을 꾀했기 때문에 현재의 유럽공동체EU와 같은 경제 공동체 개념이 등장해 '거대 시장'이 나타나기 시작했다.

1945년에서 1960년대까지의 경영 전략이 '장기적인 성장 계획'에 집중됐던 것은 모두 그런 맥락에서였다. 다시금 거대한 전쟁이

이름조차 갖지 못한 항공모함이 있을 정도로 2차 대전 당시 미국의 생산력은 막강했다.

일어나지만 않는다면 경제가 침체국면에 접어든다거나 후퇴할 수 있다는 생각은 할 필요도 없었다. 전쟁 기간 억눌려 있던 소비자들의 소비 욕구도 동시에 폭발적으로 터져 나왔기 때문이다. 미국 기업들의 엄청난 생산 능력으로 쏟아져 나오는 공급을 모두 소화할 정도로 엄청난 경제 성장이 이루어졌던 시기이다. 당시의 미국 기업들은 점차 거대한 규모를 자랑하는 대기업으로 성장할 수 있었다. 우리가 익히 잘 알고 있는 GE나 GM과 같은 기업들이 그 대표적인 사례이다.

결국 이 시기의 기업들은 폭발하는 시장 성장에 맞춰 기업의 덩치를 따라 키웠다. 그 결과 '다각화를 통한 사업 확장'과 '글로벌 시장 진출'이라는 두 가지 성공 공식의 지배를 받았던 시기이다. 그

앤소프 매트릭스

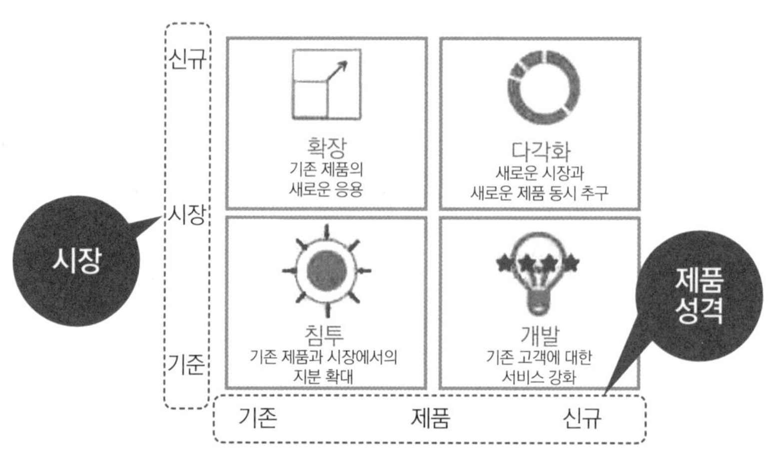

전쟁에서 승리하기 위한 '전략' 개념이 경영에 도입됐다.

런데 결국 이렇게 성장과 확장 위주의 기업 정책은 필연적으로 경쟁 구도를 불러오게 됐다. 깃발만 꽂으면 물건이 팔려나가던 '땅 짚고 헤엄치던 시장'에서 경쟁자들을 만나게 됐다. 그리고 그러한 경쟁은 지속적으로 강도가 높아져 가기 시작했다. 어느덧 기업들은 '경쟁'이라는 새로운 적을 만나게 됐고 '경쟁에서 이기기 위한 방법'을 찾게 됐다. 바로 이 시기부터 '전략'의 필요성을 점차 느끼기 시작했다.

1950~1960년대 미국 기업들은 안팎으로 문제에 직면했다. 안으로는 복잡해진 사업부를 어떻게 관리할 것인가였고 밖으로는 어떻게 경쟁자를 이길 것인가였다. 그 무렵 록히드 군사연구원 출신인 이고르 앤소프Igor Ansoff가 '전략' 개념을 처음 들고 나왔다. 그

는 '시장'과 '제품'이라는 기준을 축으로 하는 '앤소프 매트릭스'를 통해서 기업을 어떻게 성장시킬 수 있는지에 대한 통찰을 들고 나왔다.

경영 전략의 창시자로 불리는 이고르 앤소프Igor Ansoff는 앤소프 매트릭스를 통해서 전략을 확장, 다각화, 침투, 발전이라는 네 가지 유형으로 구분해냈다. 경영에서 최초로 전략 개념이 도입됐다는 것 이외에도 기업의 성장에서 제품뿐만 아니라 '시장' 역시 중요하다는 관점을 최초로 제시했다는 데 의의가 있다. 기업의 기본적인 양대 기능인 영업/마케팅과 생산/연구개발의 상대적 역량을 고려하는 것이다. 영업도 생산도 강하다면 당연히 기업은 다각화 전략으로 사세를 확장시켜야 한다. 특히 주목할 만한 사실은 이 당시 다각화는 비관련 다각화가 주종을 이룬다.

경영에 군대 전략이 전격 도입됐다

군대에서 사용되던 '전략' 개념이 경영 분야로 본격 도입되던 시기를 요약 설명하면 이렇다. 무분별한 글로벌 시장 진출과 비관련 사업으로의 진출 등으로 거대해진 기업을 어떻게 효율적으로 운영할 것인가에 대한 방법론을 군대의 운용과 전략 전술 개념을 통해서 해결하려고 했던 시기이다. 미군을 비롯한 연합군은 독일군과의 전투에서 효과적인 작전 수행을 위해 서로 긴밀하게 연락을 주고받으며 협조했다. 마찬가지로 기업도 생산, 마케팅, 인사, 재무 등의 구체적인 기능별 부서로 분화됐다. 최고경영자는 이렇게 세분화된 기능들이 효과적으로 돌아갈 수 있도록 하는 종합적인 관리 통제 방법을 필요로 했다.

이때 기업 조직에 '비서실'이나 '종합기획실'이라는 이름의 조직이 본격적으로 신설되기 시작했다. 기업 역시 군대처럼 조직 전체를 총괄하는 참모 조직의 필요성을 느꼈기 때문이다. 1960년대 중반까지 미국 기업에서 이런 조직은 보편적인 현상이었고 미국식 경영을 모델로 성장한 국내 재벌들 역시 기획조정실 등의 참모 조직을 두었다. 바로 GE의 빅브라더형 조직이 생겨났다. 이들 참모조직의 역할은 기업 성장의 방향을 설정하고 개별 사업의 성과를 높일 수 있도록 계획하고 감독하는 것이었다. 따라서 기업 총수들의 관심이 가장 많이 쏠리는 기능일 수밖에 없었다. 그러다 보니 기조실은 그룹 내에서 최고 엘리트들이 모이는 승진 코스로 불리기도 했다.

또한 1960년대까지도 미국 기업들이 취할 수 있는 가장 손쉬운 성장 방법의 하나가 '사업 다각화'였다. 시장의 성장성이나 매력도와 같은 기업 외부 환경에 초점을 맞추면 가능했던 방법이다. 당시에는 기업 내부 자원을 활용한 성장에는 거의 관심을 두지 않았다. 다만 이런 '다각화'에도 해결해야 할 문제가 생겼다. 기업의 경영자원을 어떻게 수많은 사업부에 효과적으로 배분할 것인가였다.

그래서 너무나 유명한 경영 분석도구인 '스왓 분석'이 바로 이 시기에 등장하게 된 것이다.

전략의 아버지로 불리는 하버드 대학 케네스 앤드루스 교수가 발전시킨 스왓 분석은 기업의 강점과 약점과 같은 내부 상황 그리고 외부 환경의 기회 요인과 위협 요인을 동시에 다루는 종합적인 상황 분석이 가능하다는 중요한 특징이 있다. 초창기의 스왓 분석은 현재 우리가 알고 있는 것과는 약간의 차이가 있다. 당시에는 강점과 약점, 기회와 위협의 네 가지 요소 중에서 강점인 'S'의 비중이 매우 컸다. 케네스 앤드루스 교수의 관심이 기업의 '강점'을 위주로 어떻게 기업을 성장시킬 수 있을 것인가에 집중됐기 때문이다.

당시에는 이렇게 거대해진 기업 내부의 다양한 사업부 간의 정리와 조정 문제를 해결하기 위해 외부의 전문적인 지식 제공 서비스의 필요성이 제기됐다. 이에 보스턴 컨설팅 그룹BCG이 '경영 컨설팅'이라는 새로운 신종 비즈니스의 시작을 알리며 그 유명한 'BCG 매트릭스'를 들고 나온다. 다각화된 기업의 자원을 어떻게 배분할 것인가에 대한 고민을 다루는 툴로서 시의성을 갖는 것이었다. 반면 스왓 분석은 그 유용성이 시간이 갈수록 더욱 커진 셈이라고 볼 수 있다. 나 역시 등장한 지 50년도 더 된 이 스왓 분석을 현재까지도 다양한 컨설팅 현장에서 여전히 매우 유용하게 사용하고 있다.

스왓 분석은 앤소프 매트릭스와 달리 제품뿐만 아니라 인프라

등 우리의 강점과 약점을 폭넓게 보려고 했다. 앤소프는 '시장'이라는 개념 중에서도 내가 잘할 수 있는 시장을 중요하게 봤기 때문에 자연스럽게 '강점'과 '약점'이라는 개념이 등장하게 된 것이다. 반면에 스왓 분석은 어떤 시장에서 내가 잘할 수 있는 것과 그렇지 못한 것이 무엇인지뿐만 아니라 내게 기회가 될 수 있는 요인에는 무엇이 있는지 그리고 위협이 될 수 있는 요인에는 무엇이 있는지를 함께 파악하려고 했다는 차이를 갖고 있다.

포지셔닝 이론
-경쟁이 덜한 곳을 찾아라

한편 1960년대 후반 기업들은 '어떻게 하면 여러 가지 사업들을 효과적으로 관리할 수 있는가?'에 대한 고민을 본격적으로 하게 됐다. 당시 기업들은 "우리가 이런 일도 하고 있었어?"라는 이야기를 할 정도로 규모가 비대해졌고 실로 다양한 산업에 진출해 많은 사업을 진행했기 때문이다. 기획조정실과 같은 내부의 참모조직으로도 이 문제를 효과적으로 다루기 어렵게 됐다. 그러면서 경영컨설팅 회사들이 본격적으로 나타나기 시작했다. 안 그래도 바쁜 경영진들이 이러한 문제를 스스로 해결하는 것은 비효율적인 상황이 됐기 때문이다. 그래서 이러한 경영 문제를 외부에서 해결하는 사람들의 필요성이 생겼고 경영컨설팅 사업이 시작된 것이다.

보스턴 컨설팅 그룹과 맥킨지가 각축을 벌이며 '경영 컨설팅 비즈니스'라는 새로운 시장을 개척해 나갔고 베인앤컴퍼니가 뛰어들면서 경영 컨설팅 산업은 본격적으로 성장하기 시작했다. 보스턴 컨설팅 그룹이 들고 나온 'BCG 매트릭스'도 결국은 비대해진 거대 기업들이 내부 사업부들의 문제 해결 방안의 하나로 도출된 경영 컨설팅 케이스의 대표적 사례이다.

그러나 끝도 없이 계속될 것만 같던 성장 국면은 전혀 예상치 못했던 외부 요인에 의해서 갑작스럽게 끝이 나고 만다. 1970년대 들어 중동 산유국들이 저지른 난데없는 두 번의 오일쇼크는 성장만 하던 국제 경기를 단번에 침체국면으로 바꿔놓았다. 원유값이 하루아침에 두 배 세 배 뛰었고 기업들의 원가구조는 엉망진창이 될 수밖에 없었다. 기업들은 아무런 대비책도 마련해두지 않았기에 비상사태가 됐다. 기업들의 활동은 급격하게 위축됐고 곧 생산 침체와 경기 침체가 이어졌다. 그리고 다시 소비 축소로 이어지며 살아남기 위한 기업 간의 경쟁 격화를 본격적으로 가져왔다.

지금까지의 경쟁이 '어떻게 하면 경쟁자를 물리치고 성장할 수 있을까?'라는 다소 느슨한 수준이었다면 오일쇼크 이후의 경쟁은 절박했다. '성장이 아닌 생존 자체'를 담보할 수 없는 극한의 상황에 빠졌다. '전략'의 요구 수준 역시 더욱 높아진 것은 물론이다. 하지만 처음 겪는 상황에 효과적인 대응 전략을 찾기란 쉬운 일이 아니었다. 기업들은 당장 가용한 방법을 찾는 수준으로 상황에 적응해 나가기 시작했다.

1970년대의 경영 전략 이슈는 '그나마 경쟁이 덜한 곳이 어디냐?'에 집중되어 있었다. 당시로써는 매우 절박한 생존의 문제를 해결하기 위한 즉각적인 대응 방법이었다. 소나기를 피할 만한 곳을 찾아 그곳에서 승부를 보자는 것이 가장 효과적인 전략이었던 셈이다. 이 절박한 문제를 해결하기 위해 등장한 영웅이 바로 그 유명한 하버드 대학 비즈니스 스쿨의 마이클 포터 교수였다.

마이클 포터 교수가 당시 들고 나왔던 획기적인 아이디어가 바로 '이 시장은 매력적인 시장인가?'를 따져 '그렇다면 이익이 나는 위치를 차지하라'는 것이었다. 그는 코스트, 차별화, 포커스 전략을 제시했다.

마이클 포터의 주장에 따라 집대성된 포지셔닝 이론은 이후로 한동안 세계 경영학계의 주류를 이루게 된다. 나는 이들을 통칭해서 'P파'라고 부른다. 기업 간 경쟁이 격화된 와중에도 상대적으로 그 경쟁의 강도가 약한 곳이 있게 마련이고 그런 곳을 잘 찾아서 자리를 잡으면 성공을 거둘 수 있다는 주장이었다.

물론 마이클 포터가 강조한 '산업 매력도'에 대한 분석은 필수적인 전제조건이다. 하지만 그렇게 해서 어렵게 찾아 들어간 시장이 얼마 지나지 않아서 경쟁이 더욱 치열해지고 대체재가 나타나거나 공급자의 입김이 더욱 거세지거나 하면 꽝이다. 그 산업의 매력도는 급전직하할 수밖에 없다. 애써 새로운 시장에 자리를 잡을 이유가 없기 때문이다.

다양한 분야에 관심이 많은 나의 한 지인은 "마이클 포터의 이론은 결국 풍수론風水論"이라고 말하기도 한다. 우리가 익히 들어 알고 있는 '풍수'라는 말은 원래 '장풍득수藏風得水'의 약자이다. '바람을 감추고 물을 얻을 수 있는 곳'을 찾는 것이다. 풍수에 대한 이론은 잘 알지도 못하고 큰 관심도 없지만 그의 설명을 들어보면 일리가 있다는 생각을 하게 된다.

낯선 곳을 떠돌다가 정착할 때 아무 곳에나 집을 지을 수는 없다. 아무도 바람이 모질고 거센 벌판 한복판에다가 집을 짓지는 않는다. 캠핑을 가더라도 커다란 나무 밑이나 큰 바위 옆처럼 바람을 피하고 비를 어느 정도 막을 수 있는 곳에 텐트를 치게 마련이기 때문이다. 그리고 사람이 계속 살기 위해서는 생활용수를 쉽게 구할 수 있어야 해서 '득수得水' 역시 매우 중요한 문제가 아닐 수 없다.

그러니까 '경쟁 강도'라는 거센 바람을 가급적 줄일 수 있고 기업 성장에 필요한 고객을 쉽게 구할 수 있는 곳, 즉 '생활용수'를 쉽게 얻을 수 있는 곳이 바로 자리 잡아야 할 시장이고 풍수에서 말하는 명당이 되는 것이다. 마이클 포터가 말하는 '포지셔닝' 이론과 우리네 풍수 이론이 서로 일맥상통하는 측면이 있는 것이다. 어쨌든 마이클 포터는 '포지셔닝'을 중시하던 P파의 최종 챔피언이 됐다. 그의 이론은 전 세계 경영학계의 주류를 차지하며 한 시대를 풍미하게 됐다.

케이퍼빌러티 이론
-기업 내부 역량과 자원을 활용하라

이렇게 P파의 이론을 통해서 중동발 오일쇼크를 극복하며 다시 성장을 구가하던 미국 기업들에 또 다른 적이 나타나기 시작했다. 태평양을 건너온 일본 기업들의 무차별 공습이 시작된 것이다. 1970년대 중반부터 시작된 일본 기업들의 미국 시장 공략은 실로 거셌다. 마이클 포터로 대표되는 P파의 포지셔닝 이론은 일본의 대공습으로 결정적인 타격을 입게 된다.*

마이클 포터의 '5 포스 모델' 이론으로 전 세계 경영학계를 주름 잡고 있던 하버드대학 비즈니스 스쿨의 학장 리처드 루멜트는 1980년대 초반 미국 자동차 시장에 본격적인 진출을 모색하던 일본의 혼다자동차에 대해 이렇게 잘라 말했다. "혼다는 결코 세계 자동차 시장에서 성공할 수 없다." 그리고 그 이유로 다음 네 가지를 들었다. 첫째, 시장이 이미 포화상태라는 점. 둘째, 강력한 경쟁상대가 존재하는 시장이라는 점, 셋째, 자동차 산업에 대한 혼다의 경험이 전무하다는 점. 넷째, 유통 채널을 갖고 있지 못하다는 점.

P파의 챔피언인 하버드대학 경영대학원 학장이 한 호언장담이었던 만큼 누구도 오토바이를 만들던 혼다의 자동차 시장 진출이 성공하리라 생각하지는 못했다. 하지만 놀랍게도 현재 '혼다 자동차'라는 단어가 너무나 익숙한 것처럼 결국 혼다는 자동차 시장 그

* P파와 C파의 분류는 미타니 고지가 쓴 책 『경영 전략 논쟁사』의 기준을 따랐다.

것도 미국 자동차 시장에 성공적으로 진출하게 된다. 혼다는 원래 오토바이용 작은 엔진을 만들던 기업이다. 당연히 처음에는 미국 시장에 오토바이를 들고 들어가 탐색을 시작했다. 그리고는 1982년 드디어 '혼다 어코드'라는 브랜드로 자동차 시장에 본격 진출하게 된다. 이 혼다 어코드는 역사상 가장 많이 팔린 자동차 중 다섯 손가락에 드는 초대박 히트 브랜드로 지금까지도 여전히 잘나가고 있다. 그리고 놀랍게도 리처드 루멜트의 부인은 85년형 혼다 어코드를 구매하기도 했다고 한다.

이렇게 1980년대에 들어 마이클 포터의 P파는 일본 기업들의 미국 시장 공략이 본격화되면서 가장 큰 타격을 받았다. 일본 기업들은 브랜드도 없었고 포지셔닝도 확고하지 않았다. 그런데 그런 일본 기업들 때문에 내로라하던 미국 대기업들이 하나씩 나자빠지기 시작했다. 포드, GM, 크라이슬러라는 빅 3는 혼다, 도요타 같은 일본 자동차들에게 시장을 잠식당하기 시작했다. 기술 혁신의 상징과도 같았던 제록스 역시 캐논에 압도당했다.

이렇게 포지셔닝을 무시하는 일본 닌자들이 미국 경영학계와 기업들에 끼친 영향은 실로 컸다. 1970~80년대를 관통하는 기업들의 주요 이슈 중 하나는 '다른 기업에서 배우자'였다. 그래서 승승장구하는 일본 기업들이나 일본 기업들의 공습에도 여전히 잘나가는 미국 기업들의 성공 비결이 무엇인지를 진지하게 탐구하고 배우는 것이 일반적인 풍경이었다. 지금까지도 최고의 명저로 손꼽히는 톰 피터스Tom Peters의 저서 『초우량 기업의 조건』은 '7S'라는 개념을 통해서 그렇듯 성공한 미국 기업들의 노하우를 정리하고 공유한 것이다.

미국 기업들은 태평양을 건너온 일본 닌자들에게서 치명타를 입기는 했지만 마침내 일본 기업에 대한 철저한 연구와 잘나가는 자국 기업들에 대한 벤치마킹을 통해서 한 단계 업그레이드될 수 있었다. 하지만 이 과정에서 마이클 포터로 상징되는 'P파'의 위상은 심각한 손상을 입을 수밖에 없었다. 그리고 이 자리를 넘보며 파고들어 온 학파가 바로 '케이퍼빌러티Capability파'라고 불렸던 사람들이다. 흔히 C파라고 부른다. 이들 C파는 기업이 경쟁에서 승리할 수 있는 전략은 과거처럼 단순히 좋은 포지셔닝을 차지하는 것만으로는 불가능하다는 사실을 인정하고 일본 기업들처럼 '무언가 다른 비결Someting different'이 있을 것이라는 점에 주목해 연구를 거듭해왔다.

이들 C파는 결국 한층 치열해진 경쟁 환경에서 성장해야만 하는 기업에 필요한 전략은 '기업의 내부 역량과 자원을 어떻게 활용하는가?'에 달려 있다는 주장을 하게 됐다. '핵심 역량'이라는 개념을 소개한 게리 하멜이나 '자원기반이론'의 대가인 제이 바니 교수가 이들 C파의 거두라고 할 수 있다.

이들 C파는 결국 기업이 경쟁에서 승리할 수 있는 근본적인 원동력은 시장 내에서의 특정한 포지셔닝이 아니라 그 기업이 가진 자원과 내부 역량 활용에 있다는 생각을 하게 했다. 그리고 미국 경영은 이들 C파의 활약과 일본 기업들의 대공습에서 또 다른 중요한 한 가지를 배운다. 바로 '사람'에 대한 관점이다. 여기에서 근본적인 변화를 겪게 됐다는 것이다.

결국 기업 경영의 최고 자산은 '사람'이다

프레데릭 윈즐로 테일러Frederick Winslow Taylor의 '과학적 관리 기법Scientific Management'은 '어떻게 하면 생산성을 극대화할 수 있는가?'라는 문제에만 천착해 사람을 생산시설의 보조 수단으로 인식했다. 일본 기업들과 이들 C파는 그 오랜 고정관념을 깼다. 기업 경영에서 '사람'이라는 요소가 비용에서 경영의 중요한 자원으로 신분상승을 하게 됐다. 바로 이들 C파의 공이라고 볼 수 있다.

이들 C파는 '케이퍼빌러티'라는 표현에서 알 수 있는 것처럼 '사람' 속에 체화된 '암묵지'까지도 중요한 경영 자원의 하나로 생각했다. 내가 몸담고 있는 IGM 세계경영연구원에서도 오랜 기간 반복적인 강의와 현장 컨설팅을 통해서 '암묵지가 매우 중요한 경영 자원'이라는 사실을 확인하고 있다. 나는 '그룹 지니어스' 같은 툴을 통해서 암묵지를 발견하고 중요한 경영 자원으로 탈바꿈시킬 필요가 있다는 것을 자주 역설하고 있다.

어쨌든 일본 기업들이 '종신 고용제'와 같은 방법을 통해 종업원을 비용 발생의 요소가 아니라 중요한 경영 자원의 하나로 생각한다는 것은 상당한 통찰을 전해주게 된다. 물론 미국 기업들이 그것을 깨닫기까지 매우 큰 대가를 치러야 했지만 말이다. 이렇게 일본 기업들의 대공습을 견뎌내고 또한 C파의 활약 덕분에 다시금 미국 기업들은 경쟁력을 회복하기 시작했다. 다시 미국 경제는 성장궤도로 재진입하기 시작했다. 그리고 아직도 너무나 유명한 선거 캠페인 슬로건인 "문제는 경제야. 멍청아It's the Economy, Stupid"를 들고 나왔던 젊은 대통령 빌 클린턴Bill Clinton의 시대를 만나면서 약 20년간의 최장기 경제 호황을 누리게 됐다.

한편 C파는 P파와 시장을 양분하는 중추 세력으로 성장했다. 그리고 결국 20년간 계속된 장기 호황 시대에 들어서면서 P파를 변방으로 몰아냈다. 이후 기업들의 경영 전략은 어떤 포지셔닝을 차지하느냐가 아니라 어떻게 내부의 경영 자원을 활용하고 그 역량 수준을 더욱 높일 수 있는가 하는 쪽으로 향하게 됐다.

그러나 기업은 '계속 기업'이라는 표현처럼 지속적인 성장을 통해서 그 생명을 이어가야 하는 존재이다. 따라서 필연적으로 매우 실용적일 수밖에 없다. 기업은 경쟁에서 승리하기 위해 또다시 '포지셔닝'이 중요한 상황이 도래하면 그것에 포커스를 맞춘 전략을 수립하는 데 조금의 주저함도 없을 것이다. 기업들의 관심이 시장 내에서 어떤 포지션을 차지하는 것이 아니라 어떻게 케이퍼빌러티를 키울 수 있는가로 향했던 것은 '현재 상황'이 C파를 필요로 했기 때문이다. P파의 이론과 전략이 C파의 그것에 미치지 못해서가 아니다.

제2차 세계대전 이후 본격 시작된 기업 경영 변천사는 곧 경영 전략의 역사이다. C파가 경영 전략의 주류를 이루던 미국의 초장기 호황 시절은 어느덧 끝이 났고 산이 높으면 골이 깊다는 말처럼 깊은 경기 침체기를 겪던 중 1990년대 말 '인터넷'과 IT산업의 급격한 발전이라는 전례가 없는 변화를 겪으면서 현재에 이르고 있다.

당신은 미래를 뚫고 나갈 전략가인가?

7장

적용, 스왓 분석과 토우스 분석

- 위기에서 기회를 찾는 데 유효하다

'전략적 유연성'이 필요하다

경영 전략은 시대에 따라 변화를 겪기 마련이다. 현재는 P파나 C파가 아니라 두 학파의 장점을 결합한 통합 전략이 힘을 얻는 상황이라고 볼 수 있다. 1990~2000년대 초반에 등장한 새로운 전략 트렌드의 특징은 '포지셔닝과 케이퍼빌러티' 모두가 중요하다는 절충적 입장이다. 양자의 장점을 모두 취하겠다는 이른바 통합 전략인 셈이다.

이 통합 전략 이론가들 중 헨리 민츠버그Hemry Mintzburg가 있다. 그는 기업의 발전 단계에 따라 각기 다른 전략을 취해야 한다고 주장했다. 기업이 발전 → 안정 → 적응 → 탐색 → 전환의 단계를 거치며 발전하는데 각 단계에 맞는 전략을 선택해야 한다는 것이다. 여기서 첫 번째 전략은 포지셔닝, 그다음은 케이퍼빌러티, 그리고 변화 관리와 지식경영을 거쳐 기업가 정신으로 전략이 이어진다. 결국 기업에게 필요한 전략이란 '상황에 맞는 전략'이라는 것이다.

통합 전략에서 또한 빼놓을 수 없는 이론이 바로 프랑스의 MBA 스쿨인 인시아드INSEAD의 김위찬과 르네 마보안이 내놓은 유명한 '블루오션 전략'이다. 두 사람은 헨리 민츠버그와 달리 포지셔닝과 케이퍼빌러티를 하나로 융합시켜야 한다는 주장을 펼쳤다. 그들이 말하는 '블루오션 전략'이란 새로운 포지셔닝을 만들어 그것을 실현하는 케이퍼빌러티를 창조하는 것을 말한다.

블루오션 전략은 미국의 초장기 호황이 끝나면서 새롭게 펼쳐진 경제 상황에서 세를 얻었다. 즉 주식시장의 폭락현상이 있고 뒤를 이어 어김없이 경기침체, 대규모 실업, 저성장의 그늘이 깊게 드리운 한편 인터넷과 IT 산업의 눈부신 발전이라는 전례가 없던 새로운 경제 상황이 나타나면서 빛을 발한 것이다. 이전의 기업 경영이 전혀 예상하지 못했던 '오일 쇼크'로 시계 제로 불확실성의 위기에 빠져들었던 것처럼 2000년대 초반 이후 세계경제는 다시금 불확실성의 위기에 돌입했기 때문이다. 기업이 성장 전략이 아닌 생존 전술을 찾는 데 우선순위를 두어야 했다. 다행히 그동안 쌓은 다양한 현장 경험과 지식을 통해서 다양한 경영 전략에 대해서도 상당 부분 적응이 되어 있었다. 따라서 여러 가지 전략을 상황에 맞게 신축적으로 적용하는 것이 가능해진 것이다.

이러한 전략적 유연성을 보여주는 예로 생각나는 것이 바이킹의 배다.

유럽 지역의 지명을 보다 보면 유독 '캐슬' '베르크' '부르크, 버그'로 끝나는 단어가 많다. 영국의 뉴캐슬, 독일의 하이델베르크, 함부르크 등의 도시가 대표적이다. 도시에 이런 단어가 붙게 된 것은 '바이킹'이라는 이름으로 널리 알려진 노르만족의 침입과 직접적인 관련이 있다. 지금의 핀란드, 노르웨이, 스웨덴 지역에 살던 노르만족이 갑작스럽게 전 유럽 지역을 휩쓸고 다니면서 약탈과 노략질을 했던 때가 있다. 이때 이들의 공격에 대비하기 위한 방어적 측면에서 유럽 도시들이 높은 방벽과 튼튼한 담을 앞다투어 쌓기 시작했다. 이렇게 쌓은 '성' '벽' '요새'에서 유래된 이름이 바로 '캐슬' '베르크' '부르크, 버그'와 같은 지명이다.

당시 북유럽 지역의 바이킹들은 농사를 지을 수 없는 극도로 척박한 환경에서 살았다. 결국 생존 방법의 하나로 약탈 경제를 선택했다. 이들 바이킹들의 침략은 전광석화처럼 빠르고 강력했다. 유럽 지역들은 이에 대비하느라 애를 쓸 수밖에 없었다. 바이킹들이 남긴 유물을 살펴보면 그 사실을 충분히 짐작할 수 있다. 바이킹들이 타고 다니던 배Long Ship는 북유럽의 높고 거친 파도를 견딜 만큼 튼튼하면서도 가벼운 구조로도 유명한데 '앞뒤가 없는 설계'가 주목받았다. 보통의 배들이 선수와 선미가 분명하게 구분된 반면 바이킹들의 배는 선수와 선미가 똑같아서 도시를 기습하기 위해 정박시킨 상태 그대로 다시 퇴각할 수 있었다고 한다. 상륙을 위해 육지로 향한 선수를 다시 바다 쪽으로 돌리느라 시간을 잡아먹지 않기 위한 설계였던 셈이다.

도시를 빠르게 공격하고 필요한 것들을 탈취한 뒤 뒤도 돌아보지 않고 재빨리 후퇴하기 위해서이다. 그러기 위해 배의 모양까지 달리할 정도로 유연한 사고방식을 갖고 있었던 것이다. '바이킹' 하면 거칠고 포악한 이미지를 떠올릴 것이다. 하지만 실제 바이킹들은 탄력적이고 전략적 유연성을 지닌 민족이었다. 경영 전략에서 가장 중요한 자세가 아마도 이러한 유연성이 아닐까 하는 생각한다. 그래서 바이킹의 예를 들어봤다.

플랜보다 플래닝에 가치를 두어야 한다

P파와 C파의 대결 과정은 결국 제2차 세계대전이 끝나고 본격적으로 시작됐던 자본주의와 기업 경영의 역사를 고스란히 반영하는 결과물이기도 하다. 그 과정에서 수많은 경영 전략이 나타났고 앤소프 매트릭스, 스왓 분석, 5 포스 모델, 포지셔닝, 브랜드, 퓨처스휠, 레이더 스크린, 블루오션, 전략 캔버스 등등 우리가 익히 잘 아는 친숙한 경영 분석도구들이 등장했다.

그런데 이러한 다양한 전략과 분석도구는 결국 '어떻게 하면 경쟁에서 승리할 수 있는가'에 필요한 도구이고 수단일 뿐이다. 미국 육군사관학교 웨스트포인트에서 가르친다는 24가지 전쟁의 법칙이란 것이 세간에 많이 떠돈다. 이는 흔히 전쟁터로 비유되는 기업 경영 현장에 시사하는 바가 크다. 실제로 이러한 내용을 가르치는지는 모르겠다. 하지만 그 내용을 찾아보면 감동적이라기보다는 지나치게 현실적이어서 소름이 돋는 것들이 많다. 전사의 시각이 엿보이는 내용이 많다. 총알이 빗발치는 전쟁터에서 도덕이나 명분을 따지다가 죽음을 맞이하기보다는 적을 물리치고 승리를 거둔 이후에 눈물을 흘리는 편이 낫다는 등. 그중 몇 가지를 소개해보겠다.

시시하게 보이도록 애써라. 그러면 적이 총을 덜 쏠지도 모른다.
Try to look unimportant, the enemy may be low on ammo.

공격이 잘되고 있다면 매복이 있다는 것이다.
If you attack is going well, its an ambush.

총알은 싸지만 네 목숨은 그렇지 않다.
Ammo is cheap, Your life isn't.

무반동총은 절대 무반동이 아니다.
Recoilless rifles have recoil.

우리가 전쟁터에 있는 것이라면 어떤 전략을 선택할지가 아니라 어떻게 승리할 것인가를 고민해야 한다. P파든 혹은 C파든 아니면 통합 전략파든 그 어떤 분석도구이든 간에 승리하는 데 도움이 될 수 있다면 가져다 쓰고 회사 사정에 맞게 적용하면 되는 것이다. 회사를 위기에서 구출하고 승리하는 것은 어떤 전략 그 자체가 아니라 '전략을 실행하는 행위'에서 나온다. 계획Plan이 아니라 플래닝Planning에 가치를 두어야 한다는 뜻이다.

지금까지 우리는 경영 전략 논쟁의 역사를 통해 다양한 경영 전략과 분석도구를 손에 쥘 수 있었다. 그렇다면 이제 그 많은 도구 중에서 어떤 것을 골라 사용하면 좋을까에 대해서 현실적인 고민을 해보아야 한다.

주요 사안들을 한눈에 조망해서 보아라

경영 전략 이론이 발전하면서 창안된 다양한 경영 분석 툴 중에서 레이더 스크린, 퓨처스휠, 다섯 가지 경쟁요소 모델 등은 앞에서 설명했다. 다른 주요 분석 툴의 특징에 대해 잠시 살펴보도록 하자.

우선 경영 전략의 창시자로 불리는 이고르 앤소프의 통찰이 돋보이는 앤소프 매트릭스는 어떠한가. 이것은 당시까지 '경쟁자보다 더 많이 팔아서 승리할 수 있는 제품은 무엇인가?'에 머물러 있던 시각에 '시장'이라는 개념을 도입시켰다는 데 의의가 있다. 기업이 내리는 전략적 의사결정은 제품뿐만 아니라 시장의 특성을 파악한 후 그것에 따라야 하는 것이 중요한 포인트이기 때문이다. 그런데 앤소프 매트릭스가 제공해줄 수 있는 통찰은 제품과 시장이라는 범주에 국한되기 때문에 새로운 제품을 개발하거나 신규사업을 계획한다거나 하는 것에서는 한계점을 노출시킨다는 단점이 있다.

BCG 매트릭스는 앤소프 매트릭스의 이런 단점을 잘 극복해낸 분석도구로 다양한 사업과 다양한 제품을 하나의 시각으로 담을 수 있다는 훌륭한 장점을 갖고 있다. 덕분에 방만하게 커진 사업부 관리 문제로 골머리를 앓던 당시 대기업에 훌륭한 대안이 될 수 있었다. 또한 단순히 다양한 사업부를 한눈에 파악할 수 있게 된 것뿐만 아니라 시장 성장률과 시장 점유율을 기준으로 기업의 자원을 어떤 사업부에 집중시키고 역량을 몰아줘야 하는지에 대한 통찰을 할 수 있게 해줬다.

그렇지만 이런 BCG 매트릭스에도 중요한 결함 요소가 존재했다. 어떤 사업의 미래 가치와 전망을 시장 점유율과 성장률이라는 두 가지 기준만으로 판단하는 것 자체에 문제가 있을 수 있다는 점이다. 이를테면 시장 성장률은 매우 높지만 경쟁 환경과 강도가 치열해서 수익성이 매우 낮은 시장도 현실적으로 얼마든지 존재할 수 있다. 또 바야흐로 지금은 시장 자체가 사라질 수도 있는 대격변의 시대이기도 하다. 코닥이라는 100년 기업을 단숨에 무너뜨린 디지털 카메라 시장도 어느새 놀랍도록 발전을 거듭하는 스마트폰에 의해 소비자들의 외면을 받는 것처럼 말이다. 결국 BCG 매트릭스의 이러한 한계는 GE 매트릭스에 의해 수정 보완됐다.

그리고 등장한 지 반세기가 넘은 아직도 여전히 효과적인 경영 분석도구로 사용되는 스왓 분석은 기업의 내외부 환경에 대한 분석을 바탕으로 내부 역량이 가진 강점과 약점을 효과적으로 분석할 수 있는 좋은 도구이기는 하다. 하지만 그러한 분석이 현재 시점을 기준으로만 한다는 단점이 있다. 그리고 한때 거의 모든 경영자의 손에 들려 있던 책 『블루오션 전략』이 제시하는 전략도 차별화와 저비용을 통해 경쟁이 없는 새로운 시장을 창출하라는 조언을 주고는 있다. 하지만 마케팅 전략의 수립 등 가치 혁신 이외의 전략을 세우는 데는 현실적이고 구체적인 도움을 주기 어렵다.

그런데 경영 전략을 전공했고 20년 이상 컨설팅 현장과 강의를 통해서 위의 모든 경영 분석도구들을 다양한 사례에서 적용해본 나에게 만약 "그중에서 딱 한 가지를 고르라면 어떤 것입니까?"라는 질문을 한다면 단호하게 "스왓 분석"이라고 말할 수 있다. 너무 식상하지 않은가 하는 반응이 나올 수 있다는 점은 충분히 수긍한다. 하지만 이 스왓 분석의 유용성은 50년이 지난 현재까지도 전혀 줄어들지 않고 있다고 생각한다. 스왓 분석이라는 경영 전략도구의 제품수명주기PLC, Product Life Cycle는 도입, 성장, 성숙을 지나 쇠퇴 단계로 들어간 것이 아니라 새롭게 다시 성장과 성숙 단계로 들어서고 있다고 생각하기 때문이다. 내가 다양한 현장에서 사용하는 스왓의 유용성에 대해서 잠시 더 설명해보겠다. 모두가 스왓이라는 낡은 칼을 전가의 보도로 재발견할 것이라 확신한다.

지난 50여 년간 스왓 분석은 꾸준하게 사용돼왔다. 경영 전략의 수립에 필요한 기업 내외부의 사안들을 한눈에 조망할 수 있다는 결정적인 장점 때문이다. 스왓은 기업 내부의 장점과 약점을 그리고 외부 환경이 가져오는 기회와 위협을 동시에 파악할 수 있게 한다. 유용성은 거기서 그치지 않는다. 스왓의 네 가지 요소 간의 조합을 통해서 다양한 경영 이슈를 추출해낼 수 있다는 점도 빼놓을 수 없는 장점이다.

외부 변화를 새로운 기회로 만들어주는 토우스

나는 스왓 분석의 가치를 새삼 일깨워주기 위해 이를 '토우스TOWS 분석'이라는 이름으로 바꿔 부르기도 한다. 토우스는 2×2 테이블 구조의 조합 형태를 부르는 말인데 스왓SWOT을 거꾸로 쓴 것이기도 하다. 나는 스왓에 대해 '낡고 그다지 유용하지 않은 기초적인 수준의 분석도구'라는 굳은 고정관념을 깨뜨리기 위한 표현으로 사용하고 있다. 그렇다면 이제 스왓 분석의 새로운 가치를 한번 이야기해보도록 하겠다.

다음 도표가 내가 말한 토우스이다. 스왓 분석이 단순히 강점, 약점, 기회, 위협 요인을 담을 수 있는 단순한 2×2 테이블 형태였던 것에 비해서 스왓의 네 요소가 두 개씩 짝을 지은 형태로 된 것을 볼 수 있다. 이를테면 '약점/기회'에 해당하는 칸에는 '중장기 사업계획을 수립하라'고 적혀 있다. 삼성이 반도체 산업이 앞으로 가장 주목받는 사업이 될 것이라는 통찰을 얻고 그 시장을 선점하고 장악하기 위해서 중장기적으로 시행해왔던 일련의 경영 전략들이 여

스왓 분석표 사례

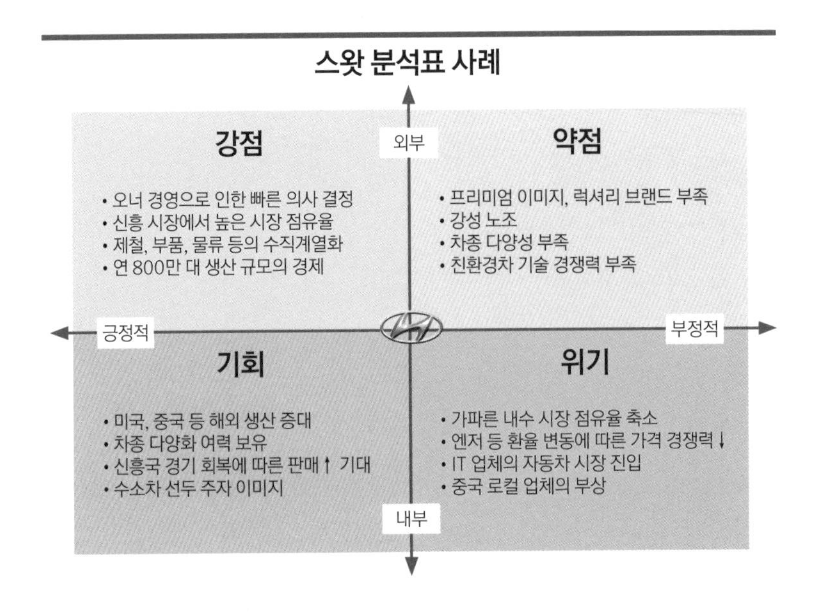

토우스 분석표 사례

외부환경 / 내부역량	위기	기회
약점	리스크, 불확실성을 관리하라	중장기 사업 계획을 수립하라
강점	충분한 역량, 상황을 내 편으로 만들어라	분기, 연간 목표를 세워라

요소 간의 결합으로 재해석된 스왓, 일명 토우스 분석의 유용성

기에 해당하는 대표적인 사례이다.

우리가 익히 알고 있는 스왓 분석은 강점, 약점, 기회, 위협이라는 네 가지 요소를 일목요연하게 나열해놓은 것이다. 하지만 토우스는 이 네 가지 요소 간의 결합을 통해서 어떠한 전략적 시사점을 줄 수 있는지를 더 직관적으로 파악할 수 있게 해주는 큰 장점을 갖고 있다. 과거 삼성이 경쟁 관계에 있던 일본 전자회사들에 비해서 아무런 장점도 갖고 있지 않았음에도 '반도체 시장'에 사운을 걸고 올인했던 그 대담하고 위대한 전략을 토우스의 약점/기회 조합으로 설명할 수 있는 것처럼 다른 요소들의 결합을 통해서도 각기 다른 상황에 부닥친 기업에 훌륭한 시사점을 줄 수 있다.

토우스가 설명할 수 있는 요소 간의 조합을 살펴보도록 하자. 가장 먼저 살펴볼 조합은 강점/기회이다. 강점을 가진 요소와 긍정적인 영향을 기대할 수 있는 기대 요소가 결합한 경우를 말한다. 내부 역량과 외부 환경이 모두 긍정적인 상황이다. 따라서 이 강점/기회 분석은 주로 기업이 성장기에 올라서 있을 때 단기적인 목표를 달성하기 위한 전략을 수립하는 경우에 많이 사용된다. 시장 점유율을 단기간에 대폭 높이겠다는 계획이나 새로 발견된 시장을 선점하거나 제품이나 시장의 다각화 전략을 수립하는 경우가 대표적이다.

삼성이 반도체 산업이 주목받을 것을 예측하고 과감한 변신을 통해서 초일류 기업으로 성장한 것처럼 반도체 시장의 급격한 성장으로 성장 일로를 걷게 된 기업들이 적지 않다. 반도체 제조에 사용되는 정밀 자재들의 관리 장비를 제조하는 브룩스Brooks가 환경

조절장치 제조기업으로 과감한 전환을 함으로써 또 한 번의 성공을 거둘 수 있었던 것이 강점/기회 분석의 좋은 사례가 될 수 있다.

브룩스는 반도체 산업의 성장에 힘입은 대표적인 기업이었지만 세계 반도체 산업이 경쟁자들이 따라올 수 없는 격차를 만들기 위해서 벌인 치킨 게임으로부터 직격탄을 받게 됐다. 반도체 생산 기업들이 삼성과 SK와 같은 극소수만 살아남게 됐기 때문이다. 이러한 상황에서 브룩스 경영진은 반도체 산업을 그대로 둔 상태에서 새로운 성장 동력을 발굴할 필요성을 느꼈다. 그래서 가장 먼저 행했던 작업이 바로 자사의 강점이 기회 요소로 작용할 수 있는 외부 환경을 찾는 것이었다. 브룩스가 자체적으로 파악한 자사의 강점은 대기와 온도를 정밀하게 통제하는 능력이 누구보다 탁월하다는 것과 고도의 정밀성이 요구되는 극저온실 자재를 옮길 능력이 있다는 것이다.

브룩스는 다른 어떤 기업에 비해서 탁월한 이러한 강점이 활용될 수 있는 외부 환경을 찾아 나섰다. 곧 당시 '넥스트 반도체'로 주목받기 시작하던 생명공학과 바이오 테크 분야에서 자사의 강점이 충분히 발휘될 수 있다는 사실을 발견하게 된다. 결국 브룩스는 새로 진출한 생명과학 분야에서 5억 달러에 달하는 연간 총매출 중 20%를 달성함으로써 기존의 알짜 수익 사업이던 반도체 분야의 매출 하락 추세를 극복해낼 수 있었다.

브룩스의 생명공학 분야로의 진출이 강점/기회 분석에 해당한다면 유수의 경영 분석 사례에서도 자주 등장하던 미국의 '웰스파고

은행'은 약점/기회에 해당되는 경우라고 할 수 있다. 미국 내 소매 은행 기준으로 볼 때 웰스파고는 시장가치 1위, 소비자 만족도 조사부문에서 은행업계 3년 연속 1위에 선정될 정도로 이미 톱클래스 실적을 자랑하는 남부러울 것이 없는 상태였다. 하지만 웰스파고 경영진은 인터넷과 IT 산업의 급격한 발전을 통한 핀테크 업체의 등장이 조만간 은행업계에도 큰 영향을 미칠 것이라는 사실을 깨닫고 있었다.

웰스파고는 앞으로 은행업은 과거처럼 고도로 숙련된 은행원들이 창구에 앉아 친절한 서비스를 베푸는 것만으로는 성공할 수 없다고 판단했다. 그래서 변화의 파도가 시작되는 지점으로 과감하게 뛰어드는 일대 승부수를 걸게 됐다. 인터넷과 IT 산업의 메카였던 실리콘밸리로 향한 것이다. 이곳에서 직접 은행업에 영향을 미치게 될 기술 개발과 발전 과정을 직접 목격하면서 인터넷 뱅킹과 모바일 뱅킹 그리고 결제 플랫폼 등장에 대해서 다른 어떤 은행보다도 가장 빠른 선제적 대응을 할 수 있었다.

과거 웰스파고가 엄청난 수탁고를 자랑하던 거대한 규모의 경쟁자들 틈바구니를 비집고 들어가 성공할 수 있었던 데는 '친절함과 편리함'이란 무기가 있었다. 웰스파고는 이를 기본으로 아무 지식과 경험이 있지 않던 IT 분야의 변화를 먼저 발견하고 적응함으로써 또 한 번 다른 경쟁자들이 인터넷 뱅킹, 모바일 뱅킹, 결제 플랫폼의 급속한 보급으로 치명타를 입고 휘청거리는 와중에 업계 선두자리를 유지했다. 그뿐 아니라 IT 시대의 은행서비스에 대한 새로운 기준을 제시하는 선도자의 이미지도 더욱 굳힐 수 있었다.

삼성이 사운을 걸고 반도체 분야에 과감하게 뛰어들어 놀라운 성공을 거둔 것은 약점/기회로 자사가 약점을 가진 분야에서의 전략이지만 웰스파고는 외부로부터 기회 요인을 발견한 경우에 해당한다. 이 두 경우 모두 외부로부터 거대한 변화 요인이 발생할 것을 예측하고 그것을 사업 도약의 '기회'로 만들겠다는 전략을 세운 것인데 여기에 토우스가 활용될 수 있다는 것을 보여주고 있다.

입체적인 스왓 분석으로 성공한 삼성

스왓 분석은 기업 내부 기능 간의 커뮤니케이션과 전체 전략에 대한 이해의 수준을 높이는 데도 활용될 수 있다. IGM에서 사용하는 '그룹 지니어스'라는 경영 도구도 이 스왓을 통해서 더욱 그 효과가 배가될 수 있었다. 그리고 이렇게 수립된 전략이 실행되고 그 효과가 나타나는 과정을 상정할 수 있는 전략 시나리오 구성의 기본 프레임이 될 수 있다. 이를테면 삼성전자는 1980년대에 이미 미래에는 반도체가 '산업의 쌀'이 될 것이라는 통찰을 얻었다. 하지만 당시의 상황이나 삼성전자의 내부 역량 등을 고려할 때 이에 도전하는 것이 불가능한 목표처럼 보였다. 그런데 스왓 분석을 통해서 불가능한 목표를 달성하는 데 필요한 장기 전략을 발견할 수 있었다.

스왓 분석은 단순히 강점과 약점 그리고 기회 요인과 위기 요인만 판단하는 분석도구가 아니다. 보다 입체적으로 접근할 수 있다. 이를테면 현재로서는 기회 요인이 아니지만 자사의 약점을 보강하면 가능성이 있는 부분을 찾아낼 수 있는 도구이다. 삼성전자는 1980년대에 앞으로 반도체가 산업시대의 쌀이 될 것이라는 통찰을 얻었지만 브랜드 인지도나 제품의 기술력 그리고 생산능력 모든 면에서 일본의 경쟁사에 비해 열세였던 당시 여건으로는 반도체 사업에 뛰어든다는 것이 너무나 무모한 도전일 수밖에 없었다. 하지만 삼성은 사운을 걸고 반도체 사업에 뛰어들었고 엄청난 성공을 일궈냈다. 스왓을 입체적으로 분석할 수 있다면 삼성이 내부의 강점이 전혀 없는 상태에서 외부적 기회를 잡기 위해 어떠한 행동을 취했어야 할지에 대해 제대로 된 분석을 유추해낼 수 있었던 것이다.

삼성은 가까운 미래에 반도체가 거의 모든 산업에서의 필수 부품이 될 것이라는 거대한 '기회' 요인을 잡기 위해서 요구되는 역량을 파악하고 그 기준에 미치지 못하는 오늘의 부족한 자사의 역량을 살펴 그 큰 간극을 어떻게 메울 것인가에 대한 실행방안을 모색했던 것이다. 전략이란 결국 앞으로 도달하고자 하는 목표To Be와 현재의 상황As Is 사이의 갭Gap을 어떻게 메우느냐의 문제이다. 삼성은 여기에 정확하게 들어맞는 훌륭한 사례인 것이다.

일본의 내로라하는 전자회사들을 모두 물리치고 그 콧대 높은

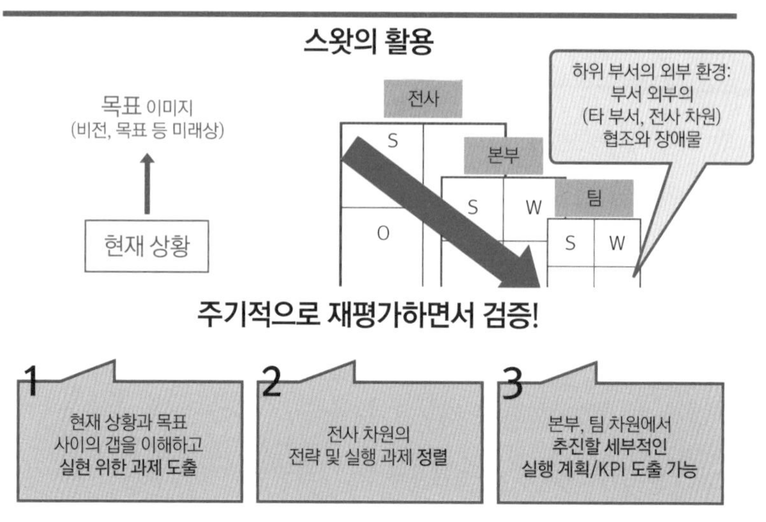

'그룹 지니어스'를 위한 최적의 분석도구 스왓.

애플조차 아이폰 제작에 필요한 반도체와 기타 부품을 구하기 위해서 삼성을 찾지 않을 수 없게 만든 그 거대한 출발은 어찌 보면 스왓 분석을 입체적으로 해석했던 것에서 기원을 찾을 수 있다. 이건 나만의 생각은 아닐 것이다.

스왓을 입체적으로 분석했을 때 기대할 수 있는 효과는 이것에만 국한되지 않는다. 앞으로 전개될 위협적인 상황 변화를 극복하기 위해 방어적인 약점의 보강 등에 대한 아이디어 역시 이로써 얻을 수 있다. 위의 그림에서도 볼 수 있듯이 스왓이라는 분석도구는 현재 상황과 앞으로 도달해야 할 목표지점 사이의 간극을 발견하고 메우기 위한 실행방안을 모색하는 계기가 될 수 있다.

그뿐만 아니라 스왓은 너무나 익숙하고 직관적인 2X2 매트릭스를 통해서 조직 내부의 다양한 기능 간의 협조를 이끌어낼 수 있는 효과적인 커뮤니케이션 도구로 활용될 수 있다는 장점 또한 갖고 있다. 이미 50년이나 된 오래된 분석 툴이기는 하지만 스왓은 '낡은 칼의 재발견'이라고 부를 만큼 여전히 효용가치가 높은 도구이다.

위협 요인을 자사의 강점으로 극복한 IBM

이제는 외부 환경이 우리 사업에 '위기Threat'로 작용하는 경우에 대해 살펴보도록 하자. IBM이라는 너무나 잘 알려진 거대 기업이 지난 십수 년간 보여준 거의 완벽한 변신이 바로 강점/위기 분석이다. 자사의 강점으로 위협이 되는 외부 환경 변화에 적응한 대표적인 성공사례라고 할 수 있다. IBM은 '인터내셔널 비즈니스 머신International Business Machine'이라는 회사명에서도 알 수 있는 것처럼 지난 100여 년간 기업들이 사용하는 하드웨어를 잘 만드는 기업으로 명성을 쌓아왔다. 1911년 CRT 모니터를 선보임으로써 시작된 명성은 '혁신의 대명사'로 불릴 정도로 대단한 것이었다. 하지만 자신의 사업이 조만간 한계에 부딪히게 될 것이라는 사실을 누구보다도 잘 알고 있었다.

IBM은 자신들이 판매하던 컴퓨터에 쓰이는 간단한 운영체제를 납품하던 젊은이 빌 게이츠가 세계에서 가장 큰 부자로 성장하는 것을 지켜봤다. 그러면서 메모리, CPU, HDD 등의 급속한 기술발전이 계속되면서 과거에는 국가에서나 소유할 수 있었던 거대한 컴퓨터 장비가 개인이 구매해 사용할 수 있을 정도로 급속하게 소형화되고 있다는 사실과 그 의미가 무엇인지를 가장 잘 알고 있었다.

IBM은 설립 후 100년 이상을 지속해오던 하드웨어 솔루션 판매 사업을 과감하게 접고 극적인 변신을 꾀하기로 한다. 고가의 서버와 기타 하드웨어를 해마다 판매하는 세일즈 사업이 아니라 그러한 컴퓨터 관련 하드웨어를 통해서 기업들이 얻고자 하는 서비스를 제공하는 소프트웨어 솔루션 컨설팅 회사로 탈바꿈한 것이다. 이제 IBM은 기업에 정보분석, 기업 내 각 부서 간의 원활한 협업, 업무 최적화, 보안관리, 비즈니스 자원과 IT 자원을 효과적으로 관리할 수 있는 노하우를 제공하는 컨설팅 회사가 됐다. 그리고 이러한 극적인 변화의 바탕에는 지난 100여 년간 쌓아온 고객들과의 깊은 신뢰관계가 깔려 있었다.

IBM은 IT와 정보통신 업계의 기술발전 속도가 점점 더 빨라지면서 주기적으로 고가의 장비를 판매하는 기존의 비즈니스에 압박을 받고 있었다. 그러한 상황이 더 이상 지속되다 보면 오랜 고객들과의 관계조차 무너질 수 있다는 절박한 현실인식 역시 극적인 변화에 뛰어들게 한 원동력이 되었다. IBM의 과감한 변신은 외부 환경의 급격한 변화가 가져올 수 있는 위기 요인을 자사가 가진 강점으로 극복한 좋은 토우스 분석의 훌륭한 사례가 되고 있다.

IBM의 뒤를 이어 PC 시대를 풍미하던 HP도 강점/위기 분석을 통한 전략적 시사점을 잘 설명해주는 변신의 사례 중 하나이다. IBM의 극적인 변신을 벤치마킹한 HP는 중국법인과 아웃소싱 업무를 담당하던 인도법인을 과감하게 정리하고 IT 서비스 업체로의 변신을 위해 EDS를 인수합병한다. 그리고 본사를 HP와 HPE로 분사해 HPE의 기업 서비스 부문과 IT 서비스를 제공하던 회사 '컴퓨터 사이언스'를 합병시켜 새로운 IT 서비스 업체로 변신한다. IBM이 외부 환경에서 일어나는 거대한 변화에 보조를 맞춰 과감한 변신을 한 데 비해 HP는 클라우드 서비스의 등장에 직격탄을 맞아 떠밀리듯 변신을 시도했다는 차이가 있다.

더 진행되어 봐야 정확한 판단을 할 수 있겠지만 HP의 변신은 IBM의 그것만큼 성공적이지는 못하다고 평가받는다. 변화의 파도에 올라타는 것과 그 뒤를 따라잡기에 급급한 것에는 분명한 차이가 있다는 것을 보여준다고 하겠다. 자사가 가진 강점으로 긍정적이지 않은 변화에 적응하는 것도 변화의 시점 등에 따라서 그 효과가 배가되거나 반감된다는 사실을 알 수 있다.

준비 없는 대응으로 실패한 대우조선해양

토우스 분석의 마지막 조합을 살펴볼 차례이다. 토우스의 강점/

기회, 강점/위기, 약점/기회 조합은 '성장'이나 '확장'의 기회에 주로 사용된다. 반면 마지막 약점/위기 조합은 어떻게 효과적으로 피해를 최소화하면서 기존 사업을 철수하는지 혹은 잘 관리하며 버틸 수 있는지에 대한 시사점을 줄 수 있다. 환경 변화가 매우 불리하게 진행되는 상황에서 설상가상으로 그에 대응해서 활용할 만한 강점조차 없는 경우가 뜻밖에 많다. 따라서 주의 깊게 볼 만한 가치가 있는 조합이다.

그 대표적인 경우가 바로 대우조선해양과 도요타 자동차이다. 대우조선해양은 주기적으로 반복되는 조선해운산업의 극심한 침체기에 어떻게 대응해야 좋을지를 알려주는 생생한 사례가 될 수 있다. 전통적으로 조선해운 산업은 산업혁명 이후로 세계경제를 주도하는 국가에서 산업의 강자가 배출되어 왔다. 과거 산업혁명 이후로 해가 지지 않는다던 대영제국의 전성 시절 조선해운업은 영국 기업들의 독무대였고 이후 제1차 세계대전과 제2차 세계대전을 거치면서 새로운 패권국가로 떠오른 미국이 조선해운업의 강자였다.

이후 한동안 태평양을 건너 미국 산업계를 초토화시켰던 일본 기업들이 세계조선해운업의 강자로 군림했다. 그러다가 우리나라가 세계가 놀라는 경제 발전의 주역으로 올라서면서 일본 조선해운업을 꺾고 세계 최고의 지위를 몇 년간 누릴 수 있었다. 하지만 중국 경제의 급부상으로 판세는 바뀌어갔다. 중국공산당 정부의 막대한 지원과 내수 산업의 급속한 팽창을 바탕으로 한 무지막지

한 저가 수주경쟁을 벌인 중국 조선해운업체에 주도권을 빼앗기게 된 것이다.

대우조선해양은 기술력으로는 세계 수준급이었다. 하지만 세계 경제의 극심한 침체 국면이 계속되면서 선박 수주 물량 자체가 극도로 줄어들었다. 거기다 국내의 다른 경쟁기업들에 비해서는 기술적 우위를 갖지 못해 이중고를 겪던 상황이다. 다른 경쟁자들은 고가의 드릴십이나 LNG 운반선 등의 틈새를 파고들면서 위기를 벗어나고 있었다. 하지만 대우조선해양은 중국 경쟁자들과 비교해 차별적인 기술우위를 갖고 있지도 않은 컨테이너선 건조 분야에 사업구조가 집중돼 있다 보니 문제가 심각했다. 결국 기술력으로는 국내 경쟁사들과 경쟁하기 어렵고 저가 수주경쟁에서는 중국 기업들과 경쟁하기 어렵다는 결론을 내리고 과감한 의사결정을 했다. 고도의 기술력이 필요한 해양플랜트 사업 분야로 진출하겠다는 것이다. 해양플랜트는 단 한 건의 수주만 성사돼도 상당한 매출을 기록할 수 있는 매력적인 분야이기도 했다.

결과적으로 놓고 보면 대우조선해양의 이런 과감한 변신은 처절한 실패로 끝이 나고 말았다. 그 원인에 대해서는 독자 간에도 첨예한 의견 대립이 있을 수 있을 것이다. 어쨌든 기존의 선박 건조라는 업과 해양플랜트 사업이 '바다'라는 것 말고는 거의 공통점을 찾아볼 수 없는 '독립적인 업'이라는 것에서 비극이 시작됐다고 하겠다. 해양플랜트 사업이 수주만 성공하면 상당한 매출을 기록할 수 있는 것은 분명하다. 하지만 고도로 정밀한 기술력이 필요한 분야였다.

그런데 대우조선해양에는 이와 관련된 지식이나 경험이 전혀 축적되어 있지 않았다. 심각한 문제였다. 경영진의 과감한 의사결정에도 기존의 선박건조 분야에 집중됐던 기존의 인력구조를 바꾸지 못한 상태에서 변신이 진행됐다. 따라서 인건비 등의 비용구조에서 극심한 비효율성을 그대로 노출시킬 수밖에 없었다. 결국 대우조선해양의 과감한 변신 시도는 실패로 끝이 났고 국가의 정치적 판단에 따라 회사의 존폐가 결정되는 비극의 주인공이 되고야 말았다.

똑같은 가치의 다른 수단을 간과한 도요타

대우조선해양은 외부 환경 변화에서 강점을 갖지 못한 채 변화에 나서는 것이 얼마나 치명적으로 위험한지를 뼈아프지만 생생하게 보여주는 사례이다. 반면 세계 자동차 산업의 최강자인 도요타 자동차는 그 의미하는 바가 다르다고 할 수 있다. 자동차가 처음 등장하던 초창기에 내연기관 자동차뿐만 아니라 전기 자동차도 발명됐다고 한다. 하지만 포드의 T 모델 이후로 대량생산 제품이 된 뒤로 내연기관 자동차가 시장의 절대 다수를 차지하는 상황이 계속됐다. 다만 그 주인공이 포드에서 GM으로 그리고 일본 자동차나 독일 자동차 3사로 오가는 정도의 변화가 있었을 뿐이다.

이러한 자동차 산업의 최강자 자리를 차지하는 회사가 바로 일본의 도요타 자동차이다. 도요타는 놀라운 관리 기술과 끊임없는 기술개발 노력을 통해서 그 자리를 유지하고 있었다. 그런데 문제는 이러한 내연기관 자동차 시장의 패권을 너무나 강력하게 움켜쥐고 있다 보니 '자율주행 자동차'라는 테마가 자동차 시장의 중요한 미래 화두로 떠오르는 것을 잠시 간과했다. 즉 도요타는 구글, 테슬라, 우버와 같은 신흥 기업들이 만들고 주도한 자율주행 자동차 시장으로의 진출 타이밍을 놓쳐버리고 만다. 자율주행 자동차가 외적으로는 '자동차의 일종'이기는 하지만 그 속을 들여다보면 전혀 다른 산업이라는 사실을 간과했기 때문이다.

자율주행 기술의 현실화는 자동차 산업의 의미까지도 바꿔놓고 있다. 자율주행 자동차에서 '운전Driving'이란 인간의 영역이 아닌 기계의 영역이 됐고 자율주행 자동차 산업에서의 핵심 역량은 제조 기술이 아니라 IT 기술이다. 당연히 도요타 자동차가 '자동차 제조업'에 속하는 회사였다면 우버나 테슬라나 구글의 자율주행 자동차는 전혀 다른 형태인 '인공지능 산업'에 속한다고 볼 수 있다. 특히 테슬라가 전기 자동차를 만드는 데 필요한 핵심 특허를 모두 개방한 덕분에 이제 누구나 모터 기술과 배터리 기술 그리고 인공지능 기술만 보유하면 만들 수 있게 된 것이다.

만약 도요타 자동차가 '레이더 스크린'이라는 분석 툴을 알고 있었더라면 자신들이 만든 자동차가 고객들에게 제공하는 가치를 전기 자동차나 자율주행 자동차라는 다른 수단을 통해서도 제공하는 것이 가능하다는 사실을 깨닫고 잘 대비했을지도 모른다. 어쨌든 내연기관 자동차 산업의 챔피언으로 불리는 도요타 자동차는 뒤늦게 자율주행 자동차의 가능성을 발견하고 구글, 테슬라, 우버라는 선도기업들을 부랴부랴 따라잡기에 나섰다. 자율주행 기술과 운전에 필요한 인공지능 기술을 개발하기 위해 로보틱스 분야에 10억 달러라는 막대한 돈을 쏟아 붓고 있다. 하지만 얼마나 효과를 나타낼 수 있을지는 여전히 미지수이다.

토우스 분석의 실제 사례를 통해서 낡고 오래된 툴이라는 취급을 받는 스왓의 새로운 가치를 발견할 수 있었다. 스왓의 새로운 유용성은 요소 간의 조합을 통해 우리 기업의 미래 핵심 전략 과제들을 도출해낼 수 있다는 것이다. 앞서 살펴봤듯 강점/기회, 강점/위기, 약점/기회, 약점/위기의 조합을 통해 새로운 전략 포인트를 발견할 수 있는 것이다.

삼성이 반도체 사업의 가능성을 발견했고 IBM이 100년 넘게 지속되어 왔던 기존의 비즈니스를 완전히 벗어나겠다는 비상한 결심을 했고 브룩스가 자사의 역량을 발휘할 수 있는 다른 사업의 필요성을 느꼈고 웰스파고 은행이 새로운 변화의 중심지인 실리콘 밸리로 뛰어든다거나 하는 중요한 경영 전략을 단행했다. 그 모든 건 다 스왓을 통해 도출된 다양한 이슈들을 파악하고 신중하게 검토했기 때문이다.

핵심 전략 과제를 도출하라

이제 스왓으로 도출된 이슈 중에서 어떤 것을 선별하고 전략화할 것인가에 대한 현실적인 문제를 다루어보자. 도출된 이슈 중 합리적인 기준에 의해 우선순위를 정하고 실제적인 실행 전략을 선정하는 '핵심 전략 과제 도출'의 과정이 기다리고 있는 것이다. 이제 토우스 분석, 즉 스왓의 네 가지 요소 간의 새로운 조합을 통해 핵심 전략 과제가 도출되는 과정을 몇 곳의 사례로 살펴보도록 하자. 내가 컨설팅을 수행했던 기업들이다. 클라이언트 회사의 사명을 실제로 밝힐 수는 없다는 점은 양해 바란다.

앞서 사례로 든 토우스 분석에서는 강점/기회, 강점/위기, 약점/기회, 약점/위기라는 각각 독립된 조합에 해당되는 것들만 살펴보았지만 사실상 현실에서는 그와 같이 단 하나의 조합만이 추출되는 것은 아니다. 지금 예로 들려고 하는 의류업체를 편의상 Y 기업이라고 해보자. Y 기업에 대한 토우스 분석의 경우에는 강점/기회, 강점/위기, 약점/기회, 약점/위기의 네 가지 조합이 모두 추출되었고 그 각각의 조합을 통해서 몇 가지 핵심 전략을 이끌어낼 수 있었다. 다음 그림은 토우스 분석을 통해서 핵심 전략 과제를 도출하는 일종의 탬플릿이라고 할 수 있다.

그럼 토우스 분석과 핵심 전략 과제의 도출이라는 프로세스를 파악할 수 있도록 한 이 탬플릿을 보자. 도표의 가로에는 강점과 약점 그리고 기회와 위기 요인을 적는 공란이 있다. 이 각각의 빈

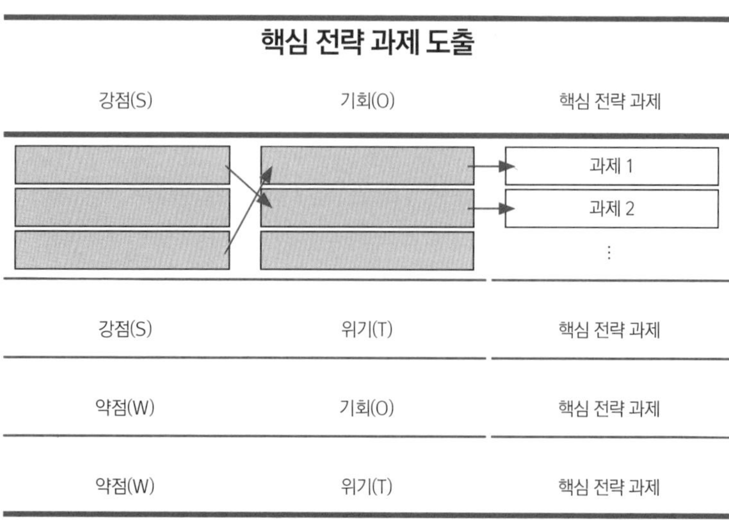

토우스 분석을 통한 핵심 전략 과제 도출 탬플릿

칸에 해당하는 요소들을 적은 후 각 요소끼리의 연관성을 기준으로 화살표를 그으면 요소 간의 결합이 된다. 이렇게 스왓의 네 가지 요소 간의 결합은 다시 가장 오른쪽에 있는 핵심 전략 과제 빈칸과 화살표로 이어지게 되고 이런 과정을 몇 차례 반복하면 토우스 분석을 통한 요소 간의 새로운 조합으로 핵심 전략 과제들이 도출된다.

'강점/기회' 조합으로 공세 전략을 펼쳐라

다음 그림이 바로 Y 기업의 실제 사례를 재구성한 토우스 분석 도표이다. 강점과 기회 요인 간의 조합으로 이 회사의 향후 먹거리를 결정하게 될 핵심 전략 과제가 도출되는 과정을 나타내고 있다. 도표에 대한 설명으로 토우스 분석에 대해 조금 더 구체적으로 설명해보겠다.

Y 기업은 이미 생산시설들을 전 세계 다양한 곳에 분산 배치해 운영 중이다. 특정한 국가에서 정치적 변동이나 자연재해와 같은 이유로 생산에 차질을 빚게 되더라도 다른 지역의 생산시설을 통해서 신축적으로 대응할 준비가 되어 있는 것이다. 이는 남다른 강점이라고 할 수 있다. 그리고 이러한 강점을 구축한 구성원들 개개인의 역량 또한 상당한 수준이어서 업계 톱클래스급 인재들이 많은 회사였다. 케이퍼빌러티 학파가 가장 중요하게 생각하는 핵심 역량과 내부 자원이 풍부한 경우라고 할 수 있다.

이런 모든 사항을 바탕으로 그동안 시장과 고객 간에 쌓아온 브랜드 이미지 역시 업계 최고 수준을 자랑하고 있다. 이러한 자사의 강점과 당사에 긍정적인 영향을 줄 수 있는 외부 환경 변화에서 기회 요인을 발견하고 토우스 분석을 통해 서로 결합을 시도해보았다. 기회 요인으로는 뚜렷해지는 기후 변화로 의류 시장의 소비 패턴 변화 역시 뚜렷해졌다는 점이다. 옷을 사려는 소비자들의 욕구가 전과 달라지면 새로운 욕구에 맞는 양질의 제품을 즉각적으로

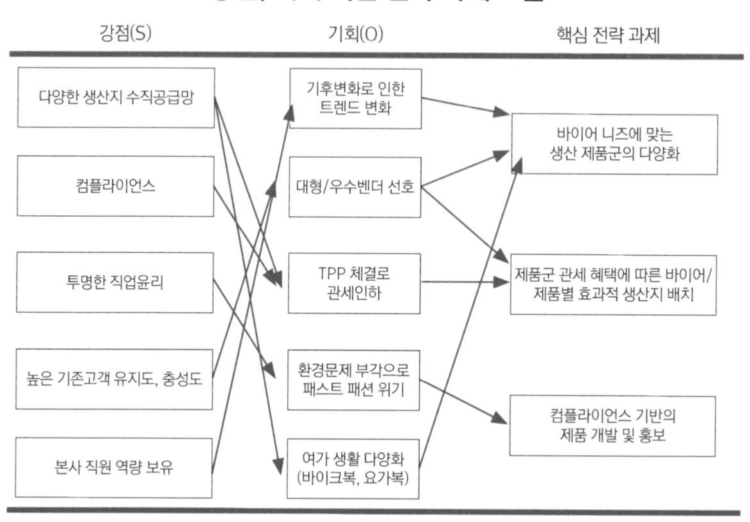

의류업체 Y 기업의 토우스 분석

생산해낼 수 있는 역량을 가진 의류업체들이 변화에 가장 잘 적응하고 가장 큰 수익을 낼 수 있다. Y 기업이 그런 준비된 회사였던 셈이다. 그뿐만 아니라 TPP라는 다자간 자유무역협정이 체결됨에 따라서 관세인하 효과를 누릴 수 있게 된 것도 중요한 기회 요인의 등장으로 작용하고 있었다.

그리고 한동안 전 세계 의류업계를 강타했던 자라, 망고, H&M과 같은 SPA 업체들 소위 '패스트 패션'으로 불리는 기업들이 자사 제품의 신속한 생산을 위해서 환경문제를 일으킬 수 있는 생산 공정을 운영한다는 소식이 알려지면서 상당한 위축을 받기 시작했다는 점도 긍정적인 요인이 되고 있었다. 이렇게 자사의 강점과 외부 환경 변화 항목에 적혀 있는 각각의 요소들을 연관성을 바탕으로 서로 결합해보았고 그렇게 해서 핵심 전략 과제들이 도출되기 시작했다.

이를테면 다양한 지역에 분산 배치된 생산시설이라는 강점은 기후 변화에 따른 트렌드 변화라는 요소 그리고 TPP 체결로 관세인하 효과라는 항목과의 연관성을 바탕으로 서로 묶일 수 있었다. 그렇게 해서 바이어의 니즈에 맞는 생산제품군의 다양화 그리고 관세효과를 극대화할 수 있는 제품별 생산지역의 효과적인 재배치라는 전략과제가 도출될 수 있었다. 이렇게 자사의 강점과 외부 환경의 기회 요인이 맞물리는 강점/기회 조합의 경우에는 적극적인 공세 전략을 펼치는 것이 좋다.

전략적 시사점을 확실히 만들어라

반면 Y 기업은 토우스 분석의 또 다른 요소 간 결합, 즉 강점/위기 조합을 통해서 직면하는 외부 환경의 위협을 자사의 강점으로 어떻게 극복해낼 수 있는지에 대한 시사점도 얻을 수 있었다. 이를테면 바이어들이 가격인하와 납기 단축 문제로 지속적인 압박을 가해오는 위기 요인 문제에 대해 자사의 강점인 다양한 지역에 배치된 생산 인프라와 업계 최고 수준의 구성원들 역량을 조합해

ODM이라는 생산방식을 역제안하기에 이른다. 실제로 어떤 분야에서든 국내 기업들의 생산능력과 품질은 이미 세계 최고 수준에 이르렀지만 여전히 바이어들과의 전통적인 역학관계에서 벗어나지 못하는 기업들이 상당히 많다.

이를테면 구찌나 셀린느 같은 명품 패션 브랜드들의 핸드백 등을 생산하는 기업 시몬느는 Y 기업과 대동소이한 상황에 부닥치게 됐다. 이때도 같은 방법으로 위기상황을 훌륭히 극복해낼 수 있었다. 세계 최고 수준의 제품 생산능력과 그동안 명품 브랜드들의 생산을 도맡아오면서 쌓인 구성원들의 디자인 능력을 결합해 역으로 명품 패션 브랜드들에게 '이런 디자인과 콘셉트의 핸드백을 생산하는 것이 어떤가?'라고 제안하는 단계까지 나아가게 된 것이다. 주문자부착방식 생산인 OEM에서 한 발짝 더 나아간 생산방식인 ODM 방식으로 바이어들의 가격인하 요구와 납기 재촉 문제를 극복하기 위해서였다.

결국 시몬느의 제품 생산능력을 익히 알고 있던 바이어들은 이들이 제안한 디자인과 콘셉트의 우수성을 높이 샀고 점차 OEM 주문보다는 ODM 주문 방식으로 기존의 거래관계에 변화를 꾀하게 됐다. 바이어들 입장에서도 고임금을 부담하며 유지해야 했던 제품 디자인 등의 기능을 실력 있는 외주업체에서 해결해주는 ODM 생산방식을 마땅치 않아 할 이유가 없었기 때문이다. 시몬느가 ODM 방식으로 위기 상황에서 탈출할 수 있었던 것처럼 Y 기업도 마찬가지 해법으로 외부 환경 변화가 가져온 위기상황을 성공적으로 극복해낼 수 있었다. 이렇게 자사가 강점을 가졌지만 외부 환경 변화가 위기 요인으로 진행되는 강점/위기 조합에서는 원가를 낮추는 등의 소극적인 방법이 아니라 자사의 강점을 적극 활용해 다른 경쟁자들과의 차별화를 꾀하는 전략을 펼치는 것이 좋다.

그리고 토우스 분석의 나머지 조합, 즉 약점/기회와 약점/위기의 경우에는 기본적으로 방어적인 입장을 취하는 것이 좋다고 볼 수 있다. 약점/기회는 시장의 변화가 긍정적인 기회 요인을 갖고는 있지만 그러한 변화를 잡아내기 위한 자사만의 강점이 부족한 경우이기 때문에 '약점 보강'에 집중해야 하고 약점/위기 조합에서는 시장 내 현재 상황을 방어하거나 피해를 최소화할 방법을 동원하고 철수하는 것도 현명한 전략이 될 수 있다.

토우스 분석은 이렇게 스왓의 네 가지 요소들을 독립적으로 판단하지 않고 각 요소 간의 결합을 통해서 전략적 시사점을 도출할 수 있게 해주는 훌륭한 경영 분석도구가 될 수 있다. 이 토우스 분석에 흥미를 느끼신 독자들께서는 앞서 보여 드린 탬플릿 양식을 통해서 직접 분석을 해보시기를 바란다. 스왓 분석의 네 가지 요소에 해당하는 내용을 적당한 크기의 포스트잇에다 적은 후 강점/기회, 강점/위기, 약점/기회, 약점/위기라는 네 가지 조합으로 그루핑을 한다. 그리고 이렇게 각각의 새로운 조합으로 묶인 내용을 중심으로 여기에서 어떠한 시사점을 얻을 수 있는지에 대해 다시 포스트잇에 적어보는 것이다. 이렇게 도출되는 핵심 전략 과제 수는 많아도 상관없다. 따라서 워크숍 등을 통해 구성원들이 직접 이 토우스 분석 작업에 참여하면서 그들 스스로가 '우리 회사가 앞으로 취해야 할 핵심적인 전략 과제가 이런 것들이구나.' 하는 결론에 이르도록 하면 된다.

이렇게 낡고 오래된 분석도구인 스왓을 살짝 뒤집어놓은 토우스 분석으로 당장 실행 가능한 핵심 전략 과제들을 도출할 수 있다. 또한 그 과정에서 내부 구성원들이 회사의 전략 변화가 필요하다는 당위성을 깨닫게 되는 이중의 효과를 기대할 수 있다. 내가 왜 스왓 분석을 두고 '낡은 칼의 재발견'이라고 했는지 그 취지에 공감할 수 있으리라고 생각한다.

우선순위 기준을 정하라

우리는 이렇게 토우스 분석을 통해 회사를 먹여 살릴 미래의 핵심 전략 과제들을 얻을 수 있었다. 그렇다면 이제 문제는 자연스럽게 '도출된 것 중에서 우선으로 실행에 옮길 것은 무엇인가?' 하는 것이 된다. 핵심 전략 과제의 우선순위를 결정하는 것이 다음 과제라는 뜻이다. 토우스 분석을 통해 도출된 핵심 전략 과제들을 선별하는 기준은 여러 가지가 있을 수 있지만 크게 세 가지, 즉 '전략적 중요성' '실행 가능성' '공감대 형성의 정도'로 볼 수 있다.

'전략적 중요성'은 이 전략을 우선으로 실행함으로써 어떠한 효과를 기대할 수 있는지가 선택의 기준이 되어야 한다는 것이다. '전략'이라는 말 자체가 내포하는 전제조건이 바로 시간과 자본 그리고 인력을 무한정 쓸 수 없다는 것이다. 그렇기 때문에 이왕 회사 내부의 자원을 투입해 전략을 수행하기로 했다면 가급적 기대수준이 높은 것부터 선택하는 것이 옳은 판단일 것이다.

다시 한 번 CJ의 참치 통조림 사업을 소환해 이 세 가지 기준에 대해서 살펴보도록 하자. CJ는 '바다로 가자'라는 전사적 목표를 달성하기 위해 의욕적으로 진입했던 '참치 통조림 사업'에서 치욕적인 패배를 맛보고 철수해야 했다. 하지만 그들은 자신들의 실패 원인에 대해서 철저하게 분석했다. 수산 식품 분야에서 독보적인 고급 어종의 하나인 '참치'를 구하는 일, 즉 원료의 수급 문제에서부터 주요 경쟁자인 사조산업과 동원산업에 의존할 수밖에 없는 구조가 애초부터 불리한 여건으로 작용하리라는 것을 짐작했다. 그것이 애초 예상보다 훨씬 강력한 난관으로 작용했다는 사실을 철저하게 분석했다. 그리고 그러한 실패 원인을 분석하고 체화된 경험을 유지한 채 시간을 보내며 다시금 '바다로 가자'는 회사의 목표를 달성하기 위한 기회를 탐색하고 있었다.

그렇게 다시 시간이 흘렀고 CJ는 참치의 중금속 오염 문제가 불거지고 동일본 쓰나미 사태로 원자력 발전소 폭발 등의 사태가 일어나면서 소비자들이 '참치'에 대한 대체 욕구를 본격적으로 느끼게 될 타이밍, 즉 새로운 사업으로의 진출에 적합한 여건이 형성되고 있다는 사실을 놓치지 않았고 바로 새로운 전략 수립에 나섰다.

그 결과 대중적인 소비 시장에서 '참치'를 대체할 만한 거의 유일한 수산물이 '연어'라는 사실을 발견했고 원활한 연어의 수급 문제를 해결하기 위해 전 세계 네트워크를 동원했다. 이렇게 시작된 CJ의 '통조림 연어 사업'이라는 핵심 전략 과제는 토우스 분석을 통해 도출된 핵심 전략 과제들의 우선순위 결정 기준인 '전략적 중요성' '실행 가능성' '공감대 형성의 정도'에 의해 철저하게 판단됐다.

새로운 통조림 연어 사업이 참치 통조림처럼 일반 대중 소비자들에게 성공적으로 진입해 장기적인 사업이 될 수 있는지를 판단했고 통조림 연어를 만들면서 쌓은 지식과 노하우 그리고 재료의 수급과 생산 과정 등이 그룹 내의 다른 기능에서 사용될 수 있는지도 중요한 선택의 기준으로 삼았다. 그리고 무엇보다도 전략적 중요성에서 가장 주의할 점은 '이 사업이 돈이 될 수 있는가'를 따지는 수익창출 가능성의 여부였다. 전사적인 자원들이 동원된 사업에서 막상 생각만큼의 수익창출이 불가능하다면 그런 전략을 선택하고 실행할 아무런 이유가 없기 때문이다. 이렇게 전략적 중요성이라는 판단 기준 아래 다시 몇 가지 요소들을 새로운 연어 통조림 사업이 충족시킬 수 있는가를 판단했다. 이를 통해 CJ는 이 사업이 '전략적으로 충분히 중요하다'는 결론을 내리게 됐다.

하지만 사업적으로 충분한 장점이 있고 대외적인 여건도 우호적이고 출시가 정상적으로 됐을 때 시장 반응도 호의적일 것이라는 확신이 들었다고 하더라도 정작 당사의 역량이 이 새로운 사업을 실행할 만한 능력에 미치지 못한다면 말짱 도루묵이 될 수밖에 없다. 그래서 '실행 가능성', 즉 새로운 사업을 위한 계획을 수립하고 실행에 옮기는 데 필요한 각종 자원을 동원할 수 있는지를 매우 중요한 판단 기준으로 삼아야만 한다.

여기에는 예산 확보의 가능성, 내부 역량의 존재, 그리고 어떤 부분에서 필요한 역량에 미달한다면 그것을 어떻게 보충하고 채워나갈 수 있을지에 대한 세부 전략도 필요하다. 그리고 무엇보다도 한 번 치욕적인 패배를 맛봤던 '수산물 사업'으로의 진출이 회사 구성원들에게 얼마만큼의 호응과 공감대를 형성할 수 있는지도 매우 중요한 판단 기준이 된다. 다시 반복하지만 결국 사업은 구성원, 즉 사람들이 이끌어나가는 것이기 때문이다. 당시 CJ에는 '바다로 간다'는 차세대 먹거리에 대한 전사적 공감대가 충분히 형성되어 있었고 참치 통조림의 패배를 만회하겠다는 조직원들의 열의가 뒷받침되어 있었기에 '통조림 연어 사업'이 대성공을 거둘 수 있었던 것이다.

이렇듯 CJ 사례를 통해 스왓에서 도출된 핵심 전략 과제 중에서 어떤 것을 우선순위에 둘 것인지를 파악하는 세 가지 기준인 '전략적 중요성' '실행 가능성' '공감대 형성의 정도'에 대해 살펴보았다. 이로써 우리는 스왓이라는 오래된 분석 툴이 매우 요긴하게 사용될 수 있다는 것을 다시 한 번 알 수 있었다.

당신은 미래를 뚫고 나갈 전략가인가?

8장

세팅, 전략은 실행되어야 한다

전략은 왜 실행되지 않는가

지금까지 우리 회사를 먹여 살리게 될 핵심 전략을 수립하기 위해 어떻게 정보를 수집하고 분석해야 하는지와 또 그렇게 해서 도출된 전략 중에서 어떤 것을 선택해야 하는지 살펴보았다.

이제 남은 것은 이렇게 세워진 전략을 어떻게 성공적으로 실행에 옮길 것인가의 문제이다. 그런데 좋은 전략을 수립하는 것만큼이나 어려운 것이 바로 효과적으로 그것을 실행하는 것이다. 그래서 『포브스』가 500대 기업 CEO들을 대상으로 한 설문 조사에서 "당신의 회사는 전략 수립과 실행을 잘하고 있습니까?"라고 물었을 때 "둘 다 잘하고 있습니다"고 대답한 회사가 겨우 8%에 불과했다.

전 세계의 내로라하는 기업 중에서 선정된 500대 기업이라면 그야말로 톱클래스급인데도 전략 수립과 실행이라는 문제는 호락호락하지 않은 경영 과제라는 것이다. 전략의 수립만큼이나 실행 과정 역시 어렵고 그 과정에서 여러 가지 문제점들이 도출될 것이라는 짐작은 누구나 쉽게 할 수 있다. 따라서 실제로 우리 회사가 수립한 전략을 실행하는 과정에서 맞닥뜨리게 될지 모를 상황을 미리 알아보는 것도 의미가 있다. 내가 지난 20여 년간 컨설턴트로서 현장에서 목격했던 전략 실행 과정상에서의 문제는 크게 네 가지로 구분될 수 있다.

첫 번째는 사업부문별 사업계획의 전략적 일관성 부족의 문제이다. 각각의 부서, 사업부, 법인들이 저마다의 사업계획을 세워 보고를 올린다. 그러다 보니 조직 전체 차원에서 조망했을 때는 단순히 사업계획이나 전략을 취합해놓은 것일 뿐인 경우가 많다. 실제로 실행을 하다 보면 부서 간의 협조가 일어나지 않는다거나 하는 등의 문제로 진척이 이뤄지지 못할 때도 있다.

이렇게 조직 전체 차원에서의 전략적 통합성과 일관성이 결여됐을 때의 또 다른 문제는 경영 자원의 심각한 중복 운용과 낭비가 발생한다는 것이다. 더 나아가서 부서별로 자신들이 세운 계획을 우선으로 달성하려는 과정에서 조직 전체의 커뮤니케이션이 병목현상을 일으키거나 조직의 분위기를 다운시키는 악영향이 나타나기도 한다. 결국 경영 환경의 급격한 변화에 대해 주도적이고 적극적으로 대응하는 것이 불가능해진다. 역량이 없고 자원이 부족해서 변화에 대처하지 못하는 것은 어쩔 수 없는 일이라고 쳐도 능력도 있고 자원도 충분함에도 단지 통합된 전략적 일관성이 부족해서 변화에 뒤늦은 대처를 하거나 아예 반응 자체를 하지 못해 사업이 성공하지 못하거나 부진에 빠지게 된다면 얼마나 억울하겠는가? 그런데 실제로 이런 일들이 드물지 않게 발생하고 있다는 사실이 컨설턴트로서 참으로 답답하고 딱할 따름이었다.

두 번째는 수립된 전략이 조직원들의 일상적인 업무에 잘 스며들어 자연스럽게 행동으로 표출되지 못하기 때문이다. 흔히 말하는 "전략은 전략일 뿐"이라는 자조 섞인 반응이 이런 상황을 잘 설명해주는 표현이다. 회사가 미래를 위해 어렵게 전략을 수립했고 전체 조직원들이 그에 대해 공감했다면 자연스럽게 그것을 실천에 옮겨야 한다. 그런데 그렇지 못하는 상황이 흔히 발생한다. 전략의 수립과 실행이 따로 노는 안타까운 경우라고 할 수 있다.

세 번째는 부서 간 전략 이슈에 대한 이해와 커뮤니케이션이 통일되지 못했기 때문에 발생한다. 이런 경우에는 결국 전략 실행을 위한 조직의 응집력이 현저하게 떨어지기 때문에 "우리 회사는 도대체가 단합을 안 합니다."라는 CEO의 하소연을 듣게 되는 경우가 많다.

네 번째는 전략을 위한 통제나 평가 시스템이 조직 내에 확립되어 있지 않기 때문이다. 전략의 수립과 실행 그리고 평가에 대한 명확한 기준이 제시되지 않았거나 하는 등의 이유로 '이게 잘돼봐야 우리 부서에 별다른 이득도 없다.'고 생각하는 경우가 적지 않다. 이렇게 전략의 실행 과정에 대한 평가 시스템이 갖춰져 있지 못할 때는 수립된 전략 목표가 어느 정도 달성됐는지를 측정할 마땅한 방법이 있을 리 없다. 당연히 성과측정을 제대로 할 수 없으니 그 결과에 대한 평가에 조직원들이 공감하고 이해하지 못하게 된다. 따라서 이런 경우에 경영자들은 "우리 회사는 주먹구구식이야."라는 얘기가 들리지 않는지 귀를 세워두어야 할 것이다.

'전략 정렬'이 가장 중요하다

전략이 제대로 실행되지 못하는 이유를 크게 네 가지로 구분했다. 이러한 현상이 발생하는 이유는 딱 한 가지이다. 바로 '전략 정렬'의 부재 때문이다. 타고 다니는 자동차도 정기적으로 휠 얼라인먼트 검사를 받곤 하는데 자동차에 달린 네 개의 타이어 방향이 반듯하지 않고 미세하게 틀어지기 시작하면 회전을 할 때 차가 쏠린다거나 휘청거리는 현상이 나타난다. 또한 타이어가 한쪽으로 유난히 빨리 마모되는 현상 등이 발생한다거나 운전이 위험해질 가능성도 높아지는 것이다.

전략 실행도 마찬가지이다. 조직 전체가 수립된 전략의 실행을 위해 원활하게 움직일 수 있는 장치가 필요하다. 그게 내가 말하는 '전략 정렬'이라는 개념으로 여기에는 세 가지 요소가 있다. '역량 확보' '실행계획' '평가 지표'이다. 수립된 전략이 잘 실행되고 원하는 소기의 효과를 달성하는 데 필요한 것들이다.

즉 전략을 실행해낼 만한 역량이 없다면 제아무리 좋은 전략을 세운다고 한들 무슨 소용이 있겠는가. 그리고 실제로 '전략을 어떻게 실행할 것인지'에 대한 구체적인 실행계획 역시 반드시 사전에 준비돼야 한다. 끝으로 이 모든 전략의 실행 과정에서 발생하는 기대치와 실현치에 대한 평가가 공정하고 객관적으로 이뤄져야만 조직 구성원들이 그것에 수긍하고 더 나은 결과를 도출하기 위해 노력하게 될 것이다. 따라서 이들 세 가지 요소가 수립된 전략이 실제로 잘 실행될 수 있게 하는 '전략 정렬'의 핵심이라고 할 수 있다.

그런데 여기서 언급되는 '역량'이란 어떠한 과제나 과업을 실천하고 성취해낼 수 있는 힘으로 전략 실행에서의 역량 역시 전략 실행을 가능하게 해주는 기본적인 원동력을 말한다. 문제는 전략을 성공적으로 실행해낼 만한 역량이 부족하다는 데 있다. 실제로 언젠가 4,400명의 경영자를 대상으로 한 설문조사에서 '귀사의 역량이 시장에서의 가치창출을 충분히 뒷받침하고 있습니까?'라고 질문했더니 3분의 2의 CEO들이 '그렇지 않다'고 답했다. 앞으로 회사를 먹여 살릴 전략은 수립했지만 안타깝게도 그 전략을 실행할 만한 역량이 부족하다는 충격적인 답변이 아닐 수 없다. 내가 전략 수립만큼 중요한 것이 전략 실행에 요구되는 필요역량이라고 강조하는 이유이다.

필요역량이란 무엇인가

그럼 필요역량이라는 것이 과연 무엇인지부터 정확하게 알아보자. 무턱대고 수립된 전략이 잘 실행되지 않는 현실을 두고 "우리 회사는 역량이 없어서 그래."라고 말하는 것은 전략가로서도 경영자로서도 적합한 생각이 아니다. 정확하게 어떤 부분에서 필요한 수준의 역량에 얼마만큼 모자라는지를 알아야 대책을 세울 수 있기 때문이다.

나는 세 가지 측면에서 설명하고 싶다. 바로 '피플' '프로세스' '인프라'이다. 전략이 실행되지 않는 이유가 역량 부족 때문이라면 그 역량은 과연 어떤 것인가를 정확하게 파악해야 한다. 결국 피플, 프로세스, 인프라 중 하나일 것이다. 기술 집약적인 회사라면 테크놀러지의 영역을 추가하시길 추천한다.

피플, 즉 조직 구성원이 문제인 경우는 결국 전략을 이해하고 그것을 실행할 만한 사람이 없거나 부족한 경우를 말한다. 조직 구성원은 왜 그러한 전략이 우리 회사에 필요한지에 대해 깊이 이해한 후 자신과 자신이 속한 부서가 해야 할 일에 대해 정확하게 숙지하고 있어야 한다. 그런데 구성원의 역량이 이에 미치지 못하면 그 전략을 제대로 수행해낼 수 없다.

조직 전체 차원에서도 HR과 관련된 기능, 즉 채용, 인력의 배치, 인재 육성, 성과관리, 보상체계 수립 등의 정책이 원활하게 이뤄져야만 인력을 적재적소에 배치할 수 있다. 그렇지 않으면 불가능하

필요역량의 세 가지 측면

피플	• 구성원의 역량 • HR 관련 분야(채용, 배치, 육성, 성과관리, 보상 등) • 사람의 문제 영역 • 필요한 유무형 인적자원 분석 • 특허, 라이선스, 개발 프로토콜, 연구개발 역량
프로세스	• 업무 프로세스(업무 연관도, 직무 분석서 등) • 일하는 방법(외부와의 연결, 내부 T/F활동, 프로젝트 관리) • 역할 및 책임 정의 및 권한위임체계
인프라	• 각종 하드웨어/소프트웨어 개발 도구 및 환경 • 지식관리 시스템, CoP 활동 • 본인의 업무에 몰입 하기 위한 물리적 정서적 환경 제공 • 기업의 문화 및 사기진작 프로그램

다. 회사의 중요한 전략을 실행하는 일에 투입되어야 할 인적 자원이 기존 업무에 추가된 중요한 업무로 과부하가 걸리지는 않는지 살펴보아야 한다. 만약 그렇다면 그가 맡은 업무의 우선순위와 경중을 따져 새로운 업무를 재조정해주는 조치가 필요하다.

프로세스의 문제도 같은 맥락이다. 역량이 우수한 구성원들이 전략을 실행하는 과정이 반복되면서 그것은 하나의 '절차'로서 형식화되기 시작하고 결국 그 조직만의 고유한 업무처리 프로세스로 발전하게 된다. 그런데 전략을 실행하는 데 필요한 업무 간의 연관성이나 직무에 대한 분석서 등이 필요하고 전략을 실행하기 위해 여러 부서에서 매번 담당자들을 그때그때 불러 모으는 것이 원활치 않다면 아예 T/F를 두어 공식적으로 활동할 수 있게 해주는 등의 조치가 필요하다.

그리고 본래의 업무 이외에 추가된 전략 실행 관련 업무를 수행함에서 구성원들 개개인 그리고 해당 T/F의 역할과 책임 소재를 명확히 해두어야 한다. 그렇지 않으면 시키는 대로 다 했는데 잘 안 됐다고 책임만 미룬다는 불만이 생길 수 있다. 막연하게 "중요한 일이니까 열심히 잘해봐."라고 하는 것은 주먹구구식 경영일 뿐이다. 절차와 방법 그리고 정확하게 구분된 업무 영역과 책임 소재 등이 하나의 프로세스로 정리되어 물 흐르듯이 돌아갈 수 있도록 해야 한다.

또한 전략을 실행하는 데 필요한 조직 내외부의 하드웨어와 소프트웨어 개발도구가 추가적으로 요구되기도 한다. 이에 대한 인프라가 부족해서 전략이 잘 실행되지 않는 경우도 뜻밖에 적지 않다. 중요한 일이라고 격려하며 업무를 맡겼는데 각종 인프라가 부족하다면 그게 제대로 돌아갈 리 없으니 말이다. 이때 전략 실행에 필요한 물리적인 환경과 정서적인 환경을 조성해주는 것도 중요하다. 그리고 전략을 실행하는 과정에서 구성원들이 느끼고 경험하게 되는 각종 정보와 지식을 조직 전체의 지적역량으로 효과적으로 수용할 수 있는 지식관리 시스템도 필요한 중요 인프라의 하나이다.

전략이 실행되지 않는 이유를 '피플' '프로세스' '인프라'의 측면으로 나누어서 찾아보면 어떤 역량이 우리 조직에서 부족하기 때문에 전략이 기대한 것만큼 돌아가지 않는지를 쉽게 파악할 수 있다.

한편 경영자들은 전략을 수립하기 위한 센싱 단계에서부터 전략

역량 발견을 위한 질문

'왜 못 하나?' 대신 이걸 물어봐야 한다.

실행을 위한 역량 확보 조치를 준비하고 있어야 한다. 뒤늦게 역량이 부족해서 전략이 실행되지 않는다는 사실을 발견하고 부랴부랴 역량 확보에 나서는 것만큼 비효율적이고 비전략적인 행동도 드물기 때문이다. 전략이 제대로 실행되지 않는다는 것은 투입된 자원이 효과적으로 사용되지 못한다는 뜻이기도 하니까 말이다. 이런 질문을 평소 스스로에게 해둘 필요가 있다.

'우리 직원들이 전략을 실행해나갈 만한 역량이 될까?' '새로운 전략 때문에 조직 내에서 불필요한 갈등이 일어나지는 않을까?' '전략이 부서별로 나눠서 진행되면서 서로 중복되는 부분은 생기지 않을까?' '조직 내부의 시스템이 정작 전략을 실행할 구성원들

의 기대 수준에 미치지 못하는 것은 아닐까?' '회사 내 정보 시스템은 업데이트가 잘되고 있나?'

리더와 CEO는 전략 실행을 할 때 역량이 부족하지 않도록 해야 할 의무가 있다. 평소 직접 이러한 질문들에 대답하면서 부족한 것들을 보충해놓아야 한다.

계획과 실행 사이의 갭을 메워라

그럼 이제는 왜 전략이 잘 실행되지 않는지, 즉 요구되는 필요역량에 모자라는 것으로 어떤 것들이 있고 또 어느 정도나 모자라는지를 확인하는 것부터 손을 대야 한다. 갭 분석 작업이다. 현재 우리 조직의 역량과 전략 실행에 필요한 수준의 역량 간에 얼마만큼의 갭이 있는지를 확인하는 것에서부터 시작된다. 우리 조직의 현재 수준과 필요 수준 사이의 갭을 파악할 수 있다. 그리고 우리는 피플, 프로세스, 인프라 측면에서 나타난 갭을 어떻게 줄일 것인가에 대한 대책을 마련할 수 있다.

이렇게 갭을 줄이는 가장 효과적인 방법이 바로 '실행계획'이다. 필요역량의 현재 수준과 목표 수준 사이의 격차를 확인하고 그것을 가장 효과적으로 줄일 방법을 찾아내서 실행에 옮기면 전략 실행은 자연스럽게 물 흐르듯 진행되어갈 것이다.

갭 발생 이유를 통한 실행 계획 도출 (예시)

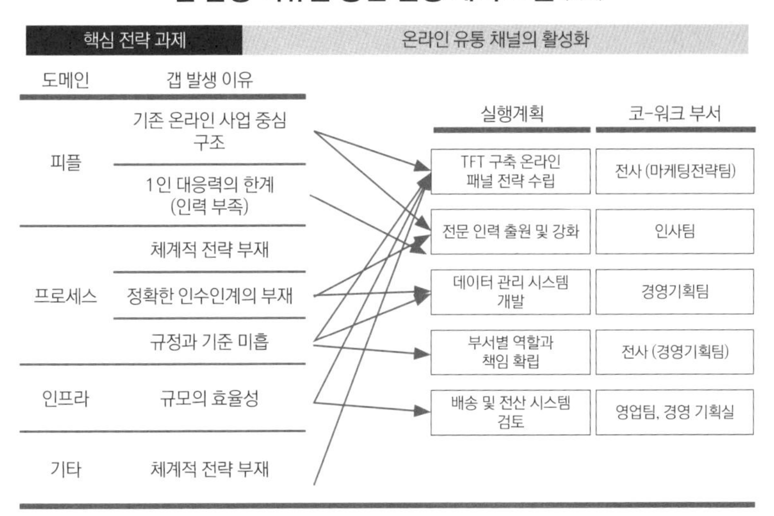

위 도표는 한 국내 식품 회사가 수립된 전략이 잘 실행될 수 있도록 한 실행계획 도출 프로세스에 대한 내용이다. 피플, 프로세스, 인프라(필요에 따라 테크놀러지를 포함할 수도 있다)에서 현재 발생한 문제를 필요역량과 요구역량 사이의 갭으로 파악한 '갭 발생 이유'에 적고 각각의 발생 이유끼리의 연관성을 찾아 화살표로 연결시키면 된다. 토우스 분석에서 핵심 전략 과제를 도출했을 때를 생각해보면 작성이 조금 쉬워질 것이다. 이 도표에 대한 보충설명을 해보겠다. 이 회사는 토우스 분석을 통해 '온라인 유통 채널의 활성화'라는 전략을 도출해냈고 이 전략을 실행에 옮겼지만 생각만큼 전략이 잘 실행되지 않았다.

그래서 왜 전략이 잘 실행되지 않는가에 대한 분석 작업으로 갭 분석을 통해서 피플, 프로세스, 인프라의 영역에서 각각 도출된 갭의 발생 원인을 리스트업할 수 있었다. 그리고 이렇게 세 영역에서 리스트업된 항목 간의 연관성을 바탕으로 실행계획을 찾아낼 수 있었다. 피플의 측면에서 보면 새로운 전략, 즉 '온라인 유통 채널의 활성화'가 기대한 효과를 나타내지 못했던 것이 바로 조직원들이 기존의 오프라인 사업 중심 구조에 익숙해 있고 온라인 유통 채널에 대한 지식이나 경험이 거의 없었기 때문이다. 거기에다 온라인 유통 채널을 담당하는 새로운 업무를 부여받은 인력의 수가 절대적으로 부족했던 것도 갭을 발생시킨 중요한 이유였다.

이로써 이 회사는 온라인 유통 채널에 대한 별도의 전략을 수립할 필요를 느끼게 됐고 담당 전문 인력을 충원하고 관련 TF를 강화하겠다는 실행계획을 세울 수 있었다. 이 두 가지 실행계획은 '프로세스' 측면에서의 갭 발생 원인과도 직접적인 연관성을 갖고 있어 온라인 유통 사업에 대한 체계적인 전략이 부재했다. 그래서 전략 실행이 원활하게 잘 이루어지지 않았다는 사실을 밝혀냈다. 결국 이것도 '온라인 유통 채널 구축에 대한 TF를 구성'한다는 실행계획으로 이어졌다. 그리고 새롭게 온라인 채널 업무를 부여받은 조직원이 자신의 업무에 대해 정확히 인지하지 못함으로써 효과적으로 대응하지 못했다는 사실이 밝혀져 결국 이 갭 역시 온라인 채널 담당 전문 인력의 충원이라는 결론으로 이어졌다.

그리고 갭 발생 이유를 통한 실행계획의 도출에서 빼놓아서는 안 되는 항목이 바로 '협업 부서'를 정하는 것이다. 온라인 유통 채널의 활성화라는 새로운 전략을 제대로 실행하기 위해 갭 분석과 실행계획을 수립했더라도 기존 오프라인 사업부문에서의 협조가 반드시 따라줘야 하기 때문에 실행계획별로 어떤 부서가 협조해줄 것인지에 대해서도 사전에 경영진 차원의 별도 지시가 반드시 필요한 것이다.

역량 간의 연관성을 고려하라

전략 실행이 순조롭게 이루어지기 위해서는 피플, 프로세스, 인프라의 세 영역에서 나타난 갭을 메워야 한다. 그 가장 효과적인 방법이 바로 실행계획이다. 그런데 실제 컨설팅 현장에서 자주 느끼게 되는 현실은 이러한 실행계획을 수립하는 작업에 어려움을 느끼는 사람들이 많다는 것이다.

나는 CEO나 구성원들 모두로부터 "머리로는 이해하겠는데 어떻게 갭의 원인을 갖고 실행계획을 찾아내야 하는지가 막막합니다."라는 하소연을 듣고는 했다. 내가 컨설턴트로서 준 약간의 팁은 "역량 간의 연관성을 고려하라."는 것이다. '피플, 프로세스, 인프라'라는 독립된 항목으로 구분해서 필요역량을 찾아보았지만 그것은 편의상의 구분일 뿐이다. 이 모든 역량은 원래 하나의 뿌리에서 갈라진 세 가닥의 나뭇가지와 같은 것이기 때문이다.

사람('피플')이 어떠한 일을 행해서 좋은 결과를 낳았다면 그러한 업무 처리 방법은 사내에서 반복되면서 더욱 효율적으로 가다듬어질 것이다. 그리고 우리는 그것을 '프로세스'라고 부르게 된다. 모든 조직원이 프로세스에 입각해서 활동하고 업무를 수행할 수 있는 단계에까지 이르면 바로 '인프라'의 일부가 되는 것이다. 결국 각각의 역량은 따지고 보면 최소한 어떠한 형태로든 공통된 맥락을 조금이라도 갖게 마련이다. 그중에서 연관성이 더 많은 것끼리 '묶어서' 판단을 해보면 실행계획을 수립하는 것이 조금은 더 쉬워질 것이다.

앞에서 사례로 들었던 식품회사가 '온라인 유통 채널의 활성화'라는 새로운 전략을 수립하고 실행해나가는 과정에서 발생했던 역량의 갭 중에서 '피플'과 '프로세스'에서 공통으로 등장했던 항목이 바로 '관련 분야에 대한 지식과 경험이 있는 인력'이었다. 이 회사에는 온라인 유통 업무 경험이 있는 사람이 없었으니 게시판을 통한 고객 불만 사항을 어떻게 처리해야 하는지를 놓고서도 우왕좌왕할 수밖에 없었다. 회사 차원에서도 이에 대한 명확한 지침을 내려줄 사람도 없었고 사전 대비책도 마련되어 있지 않았다. 그러다 보니 프로세스 면에서도 갭이 발생한 것이다. 결국 전략을 실행하기 위해 요구되는 역량들끼리는 어느 정도의 연관성이 있다는 사실을 염두에 두고 있을 필요가 있다.

실행계획을 수립하는 데 또 다른 팁이 될 만한 것은 '다양하게 시도해보라.'는 것이다. 전에 없던 새로운 전략을 성공으로 이끌기 위해서는 하부 전술 역시 새로운 것이라고 보는 것이 현명하고 현실적인 자세가 아닐까? 그런데 문제는 "뭔가 새로운 전략이 필요해."라는 주장에 다들 고개를 끄덕이며 공감을 하면서도 정작 그 전략을 실행에 옮기는 데는 과거에 행했던 방법들을 그대로 답습하는 경우가 대부분이다. 그렇다면 새로운 전략이 생각만큼 효과가 나타나기 어려운 것도 어찌 보면 당연한 것일지도 모른다. 같은 일을 하면서 다른 결과가 나타나기를 바라는 것이 오히려 이상한 것이 아닐까?

그런데 이러한 이율배반적인 일은 비단 우리 조직에서만 일어나는 것은 아니다. 한 조사에 따르면 전 세계 162개 통신회사를 대상으로 한 조사에서 "역량 개발을 위해 다양한 방법을 활용하는가?"를 질문했더니 겨우 30% 기업만이 "예스."라고 답했다고 한다. 이 말은 이들 기업들이 조직원들과 회사 전체의 역량을 높이기 위해서 나름 신경을 쓰고 일정한 자원을 사용하고는 있지만 기본적으로 '예전에 해봤던 방법을 답습'하고 있다는 뜻이기도 하다.

결국 "다르게 시도해봐."라는 말은 그저 무책임하게 던지는 충고가 아니다. 기업의 유지와 성장에 필요한 자원을 확보하는 일도 마찬가지여서 다양한 방법을 통해서 자원 확보에 나선 기업들이 그렇지 않은 기업들보다 5년간 생존할 확률이 확연히 높아진다는 조사 결과도 있었다.* 다양한 시도를 해볼 만한 충분한 가치가 있다는 뜻이다.

---

* 웰 미첼, 「자원 확보, 한 가지 방법에만 의존하지 마라」, DBR.

늘 하던 방법을 답습하는 것 말고는 별다른 대안을 갖지 못한 경우, 필요한 역량을 단기간에 확보하는 방법에 대한 유혹을 느끼게 마련이다. 이런 경우에 흔히 사용되는 방법이 바로 '3B'이다. 조직 내부의 자원을 동원해 직접 개발하는 '빌드Build', 외부의 적합한 기업을 인수 합병하는 '바잉Buying', 그리고 라이선스 구매 등의 방법으로 빌려오는 '바로우Borrow'를 말한다.

빌드는 내부 개발 시 필요한 새 역량이 자체 보유 역량과 관련이 있을 때 사용하면 좋다. 자사의 강점인 역량을 어떻게 최대한 활용할 수 있는지 그리고 현재 충분하게 활용되지 못하는 역량을 어떻게 효과적으로 사용할 수 있는지에 대해 면밀한 주의를 기울일 필요가 있다.

나머지 바잉과 바로우의 경우에는 새로 필요한 역량이 기존 자사가 가진 내부의 역량과 관련이 없을 때 부득이하게 동원되는 방법이다. 바잉은 필요한 역량을 외부로부터 돈을 주고 구입하는 것으로 흔히 말하는 인수합병이 여기에 해당한다. 이 경우에는 매수 절차가 완료됐다고 해서 소기의 효과를 곧장 얻을 수 있는 것이 아니라서 기존 보유 역량과 새로이 구입한 역량을 어떻게 효과적으로 통합할 수 있는지, 즉 PMIPost Merger Integration에 주의를 기울여야 한다. 그리고 나머지 방법인 바로우는 외부와의 제휴나 라이선스 계약 체결 등으로 필요한 역량을 들여오는 경우이다. 계약자 쌍방이 서로 만족할 만한 공정한 가치의 교환이 가능할 때 구사할 수 있는 방법이다.

포기도 전략의 중요한 일부이다

전략이 제대로 실행되지 못하는 이유는 필요역량과 현재역량 사이에 존재하는 갭 때문이다. 갭이 생기는 이유를 파악하기 위해 피플, 프로세스, 인프라의 측면으로 구분해서 찾아보았다. 그렇게 파악된 각각의 이유 중에서 서로 연관성이 있는 것들을 하나로 묶어 생각해봄으로써 어떻게 하면 존재하는 갭을 가장 효율적으로 메울 수 있는지, 즉 실행계획이 도출된다는 것까지 알게 됐다.

이제 남은 과제는 '어떤 계획부터 먼저 실행에 옮기느냐'이다. 다음 도표가 그 내용을 다루고 있다. 실행 계획들이 '중요성'과 '시급성'이라는 두 개의 칸으로 구분돼 있다. 실행계획 중에서 어떤 것을 먼저 실행해야 하는지에 대한 기준이 바로 '중요성'과 '시급성'이라는 의미인 셈이다. '중요한 것부터, 급한 것부터'라는 기준들은 각각 전략적 중요성과 기대 효과라는 세부 기준으로 다시 판단되어야 한다. 또한 '시급성'이라는 기준은 다시 '시기별 선결성'과 '자원의 가용성'이라는 기준으로 나누어진다.

중요성과 시급성이라는 기준과 그 각각의 기준 아래에 있는 또 다른 두 개의 기준을 합치면 총 4개의 공란이 각 실행계획 항목에 있다. 이 공란에 5점 척도 기준으로 점수를 기재하고 합계를 적어 넣으면 각각의 실행계획들이 얼마나 중요한지 일목요연하게 비교할 수 있다. 위의 도표는 앞서 사례로 들었던 식품회사가 온라인 유통 채널 활성화라는 핵심 전략과제를 진행하다가 맞닥뜨린 문제

실행계획의 우선순위화

핵심 전략 과제	온라인 유통 채널의 활성화

1	2	3	4	5
매우 낮음	낮음	보통	높음	매우 높음

실행계획 \ 기준		중요성			시급성		
		전략적 중요성	기대 효과	합계	시기별 선결성	자원의 가용성	합계
1	온라인 채널 운영 전략 수립	5	4	9	4	4	8
2	전문인력 충원 및 강화	4	4	8	5	2	7
3	데이터 관리 시스템 개발	3	4	7	3	2	5
4	부서별 역할과 책임 확립	4	3	7	3	4	7
5	배송 및 정산 시스템 검토	3	3	6	4	4	8

를 해결하기 위해 갭을 찾아내 분석하고 그것을 메우기 위해 도출한 실행계획 내용을 담고 있다.

온라인 채널 운용 전략 수립과 전문 인력 충원 및 강화 등 총 다섯 가지 실행계획을 도출하고 우선순위를 정한 결과 가장 시급하게 해결해야 하는 것이 '온라인 채널 운영 전략 수립'이고 그다음이 '전문 인력 충원 및 강화'인 것으로 나타났다. 나머지 세 가지 실행계획에도 각각의 점수가 부여됐다. 이렇게 해서 실행계획 우선순위 도출의 첫 번째 단계가 지났다. 이제 해야 할 나머지 작업들은 총 다섯 개의 실행계획을 각각 부여받은 점수를 기준으로 2X2 매트릭스에 매핑하는 작업이다. 그러고 나서 마지막으로 각각의 실행계획을 장기 계획으로 진행할 것인지 단기계획으로 진행할 것

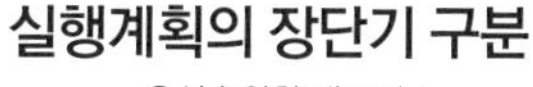

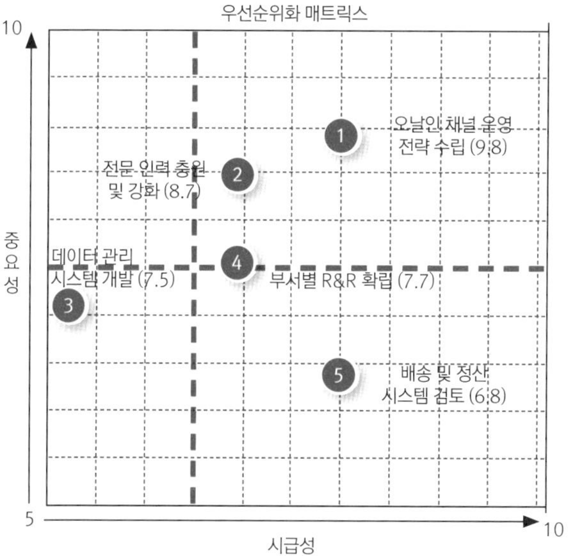

포기할 줄 아는 것도 중요한 '전략'의 일부다.

인지 결정하는 것으로 일단락될 수 있다.

때에 따라서는 중요도가 떨어지고 시급하지 않은 실행계획이라는 판단이 들면 과감하게 실행을 포기하는 결단이 요구되기도 한다. 이 식품회사는 전략적 중요성과 시급성이라는 기준으로 실행계획을 수치화한 결과 그중에서 '데이터 관리 시스템 개발'이라는 실행계획은 과감하게 포기한다는 의사결정을 내리게 됐다. 이 실행계획을 현실화하는 데 필요한 내부 경영 자원에 비해 기대할 수 있는 효과가 크지 않고 그 중요성이 다른 실행계획에 비해 떨어졌기 때문이다. 반복해서 말하지만 전략은 할 수 있는 것과 할 수 없는 것을 구분하는 것이다. 또한 해야 할 것과 하지 않아도 될 것을 구분하는 것이다.

9장

평가, 전략의 가치는 결과로 증명된다

Strategy 4.0

실행 평가는 어떻게 할 것인가

이제 우리 회사의 미래를 책임질 새로운 전략이 본격적으로 실행될 수 있도록 필요한 조치는 거의 다 취한 셈이다. 센싱과 실렉팅 과정을 통해서 정보를 수집하고 분석하고 스왓 분석이라는 여전히 유용한 분석도구를 통해서 도출한 핵심 전략과제 중에서 전략적 중요성, 수익창출의 정도, 구성원들의 공감대 형성 등의 기준으로 우선순위를 정했다. 그리고 최종적으로 도출된 새로운 전략을 야심 차게 시행했다. 하지만 전략을 실행하는 데 필요한 역량과 현재 우리 조직이 보유한 역량 간의 격차가 존재한다는 안타까운 현실과 마주하게 됐다.

그렇다고 "잘 안 되는구나." 하고 포기할 수는 없는 노릇. 결국 필요역량과 현재역량 사이의 갭을 가장 빨리 효과적으로 메울 방법을 찾아야만 한다. 바로 이것이 '실행계획'이다. 그리고 도출된 실행계획들을 다시 시급성과 중요성이라는 기준으로 매트릭스화해서 어떤 실행계획부터 실천할 것인지 우선순위를 결정했다. 이로써 내가 '전략 수립의 3단계'라고 부르는 3S 전략인 센싱, 실렉팅, 세팅 중 마지막 세팅 단계의 막바지에 이르게 된 것이다.

숨 가쁘게 진행되어온 이 모든 과정을 제대로 밟았다면 이제 우리가 새로 세운 전략이 본격적으로 돌아가고 조금씩 그 파급효과가 나타나기 시작하는 것을 목격할 수 있을 것이다. 이제 경영자의 시선은 '3S 전략'의 가장 마지막 순서로서 '실행계획을 어떻게 평가할 것인가'의 문제와 마주하게 된다.

전략이 실행되고 그것에 의해 도출된 결과물들에 대해 정확하고 공정한 평가가 이루어지지 못하면 새로운 전략이 조직 내부에 자연스럽게 스며들기 어렵다. 많은 자원을 들여 수립한 전략이 반복적으로 사용되면서 조직의 성과를 높여주고 조직 전체의 역량과 구성원 개개인의 역량까지도 한 차원 높일 수 있는 계기가 돼야 하지만 올바르고 공정한 평가가 이루어지지 않는다면 그러한 기대는 이루어지지 못할 것이다.

그런데 이 평가라는 것이 사실 말처럼 쉽지만은 않아서 공정하고 객관적인 것만으로는 부족하다. 평가라는 것 자체가 결과에 대한 차별을 인정하는 것이기 때문에 좋은 평가를 받는 구성원들은 만족하고 수긍하겠지만 평가가 나쁜 사람들에게는 불만과 시빗거리의 대상이 되기 십상인 것이다. 그래서 전략의 실행 평가 기준은 공정하고 객관적인 것이어야 함은 물론이고 구성원 전체의 공감대를 이끌어내는 것이어야 한다.

인터넷 커뮤니티에서 읽었던 어떤 직장인의 직장 일기를 잠시 소개해볼까 한다.

로비에서 사장님을 만났다. "좀 어때? 괜찮게 나올 것 같아?"라고 물으시기에 자신 있게 대답했다. "열심히 했습니다. 나쁠 것 같지 않습니다."

그런데…… 고과가 이게 뭐야? 열심히 한 나는 B등급이고 탱자탱자 사우나 다니던 옆자리 김 대리가 A등급이라고? 아오~ 열 받아. 나는 오늘도 빡치는 중.

업무 수행 결과에 대한 평가를 기다리는 직원과 경영자 사이에 흔히 있음 직한 상황이다. 이렇게 '어떻게 평가할 것인가'의 문제는 조직구성원들에게는 초미의 관심사이다. 매우 중요하고 신중하게 다뤄져야만 한다. 그런데 이 평가를 어떻게 하느냐의 문제가 그 중요성만큼 대우를 받지 못하는 경우가 적지 않다. 평가 결과에 수긍하지 못하는 조직원들이 많다면 그건 우선 평가 기준 자체에 문제가 있을 확률이 상당히 높다. 위의 상황에서는 평가의 주체인 경영자가 평가를 받아야 하는 직원에게 "괜찮게 나올 것 같아?"라고 물어본다. 사실 여기서부터 잘못되었다고 할 수 있다. 흔히 경영자들은 "우리 직원들은 뭘 대답해도 막연하게 해요. 왜 딱 부러지게 구체적으로 말을 못하지?"라고 불평하는 경우가 많다. 그런데 대답이 막연한 가장 큰 이유는 질문이 막연하기 때문이다. 이렇게 분명치 않은 답변을 이끌어낸 질문 역시 흐리멍덩하게 마련이다.

예를 들어 "김 대리, 이번 2분기 매출 목표는 지난해 같은 기간보다 몇 %나 오를 것 같아?"라고 물어보는 것과 "이번에 매출 실적 괜찮겠어?"라고 물어보는 경우 그에 대한 답변은 다를 수밖에 없지 않겠는가. 전자는 막연하게 "잘될 걸요."라고 대답할 수 있는 직원은 없다. 아마 대부분은 "25% 오를 것 같습니다."라고 비교적 구체적인 수치로 대답할 것이다. 그렇다면 다음 질문 역시 "예상했던 것보다 얼마나 초과한 거지?"라는 보다 구체적인 것이 될 터이고 이에 대한 대답은 당연히 "목표 대비 10% 초과 달성된 수치입니다."라는 것이 될 것이다. 질문이 구체적이니 답변 역시 구체적으로 나오게 마련이라는 뜻이다.

반면 후자는 직원들도 "나쁘지는 않을 것 같습니다."처럼 두루뭉수리 대답하게 된다. 질문이 막연하니 대답 역시 구렁이 담 넘어가듯 막연하게 나오게 된다는 것이다. 그런데 문제는 이렇게 평가 기준이 구체적이고 객관적이지 못하면 어떠한 평가 결과가 나오더라도 조직원들이 '다음에는 더욱 열심히 해야겠다.'는 분발심을 갖는 것이 아니라 '나보다 더 열심히 하지 않은 사람이 고과가 더 잘 나왔다.'라며 불평을 품게 된다는 것이다. 옆자리 김 대리가 사우나를 다녔을지라도 목표 대비 초과 성과를 달성했다는 사실은 빼고 나에 대한 박한 평가만 남아 기분 나쁜 것이 사람의 심리이기 때문이다.

활동 대신 결과로 물어보라

평가 기준에 대한 경영자들의 고민을 한결 덜어줄 수 있는 좋은 방법은 '활동' 대신 '결과'로 질문하라는 것이다. 예를 들어 "열심히 했어?"라는 활동으로 질문하지 말고 "목표 달성했어?"라는 결과로 질문하라는 뜻이다.

전략을 수립하고 계획을 세울 때 잡아놓은 목표치를 달성하기 위해 나름으로 열심히 하지 않았다고 생각하는 사람은 아마 단 한 명도 없을 것이다. 누구나 "열심히 했어?"라고 질문받으면 "열심히 했다."고 대답하게 마련이고 그렇게 대답한 사람들은 저마다 자신이 열심히 한 것에 대해 높은 기대를 갖는 것이 당연하다. 그렇듯 평가에 대한 기대가 은연중 높은 사람에게 포상이나 '훌륭하다.'는 결과가 나오지 않고 '기준에 미달했다.'는 결과가 나온다면 그걸 쉽사리 수긍하고 받아들일 수 있는 사람은 없을 것이다.

하지만 평가 기준을 '활동'이 아니라 '결과'로 잡으면 결론이 명확하게 나올 수밖에 없다. "목표치를 달성했는가?"라는 질문에도 "예." 혹은 "아니요."라는 답이 나오게 된다. "예."라고 대답했으면 당연히 좋은 평가가 나올 것이고 "아니요."라고 답을 했다면 평가가 나쁘게 나올 것이라는 사실을 스스로가 인정할 수밖에 없다. 이를테면 수능시험을 치른 학생에게 "수능공부 열심히 했니?"라고 물어보면 "당연하죠."라고 대답하겠지만 "합격했니?"라고 물으면 그 대답은 "예스." 혹은 "노."뿐이라는 것이다.

경영자가 온라인 영업 경력직 사원을 충원하려고 할 때도 질문을 '활동'이 아닌 '결과'로 물어봐야 한다. "경력직 채용 면접은 했습니까?"라고 묻는 것이 아니라 "기한 내에 충원된 경력직이 몇 명입니까?"라고 말이다. 전략이 실행되기 위해서 중요한 것은 결과이지 활동이 아니기 때문이다.

그런데 이 부분에서 더욱 중요한 것은 '고객의 관점'에서 이 모든 것을 보아야 한다는 점이다. 이를테면 '신규 고객 발굴을 위한 활동의 전개'라는 실행계획을 수립했다면 그 실행계획에 대한 평가를 '결과'로 잡아야 하지만 이 결과 자체도 '고객 관점'에서 보아야 한다는 뜻이다. 신규 고객 발굴을 위해서 콜드콜을 몇 통을 했고 고객 방문을 몇 회나 했느냐는 결과가 아니라 "팸플릿을 받아보겠다고 응답한 고객이 몇 명인가?" 혹은 "당사 매장을 방문하겠다는 약속을 몇 명에게서 받았는가?"라고 물어봐야 한다는 뜻이다.

전자는 실행계획 시행이 직원의 기준으로 판단되는 것이다. 후자는 고객의 기준으로 바라본 것이다. 콜드콜을 몇 통 했는지가 중요한 것이 아니라 당사 신제품에 대한 팸플릿을 몇 명이나 받고 싶다고 했는지 그 결과가 중요한 것이다. 또한 고객 발굴을 위해서 몇 명의 고객을 방문했느냐가 중요한 것이 아니라 실제로 몇 명이나 당사 매장을 방문하겠다는 의사를 밝혔는지가 중요한 것이다.

또한 실행계획 시행에 대한 평가 기준을 '고객 관점'에서 잡아야 하지만 '고객'은 과연 누구인지에 대해서도 생각해볼 필요가 있다. 회사 바깥 어딘가에 존재하는 '외부 고객'뿐만 아니라 '내부 고객'

실행계획: 1. 온라인 채널 운영전략 수립

핵심 전략 과제	온라인 유통 채널의 활성화			
No.	활동	결과	평가 포인트	지표
1	현재 운영하고 있는 온라인 채널별 특성과 현황에 대해 분석한다.	온라인 채널별 현황 및 특성 분석 보고서	• 현황과 특성은 정확하게 작성했는가?	만족도
2	현재 운영하고 있는 온라인 채널별 특성과 현황에 대해 분석한다.	온라인 신규 채널별 운영 계획서	• 신규채널 개척 후 매출과 연결시켰는가?	매출액
3	온라인 채널의 운영 원칙을 수립한다.	채널 별 운영 원칙 살계서, 계약서	• 원칙이 향후 충돌을 방지 할 수 있는가? • 계약서로 법적 조치가 가능한가?	원칙 수립 내용의 만족도, 완료일
4	온라인의 채널의 연간 판촉 계획을 수립한다.	연간 판촉 계획안	• 연간 판촉 계획안을 통한 효율적인 판촉활동을 하였는가?	매출액 신장율

실행계획은 고객 중심으로 평가되어야 한다.

도 있기 때문이다. 실적을 달성하고 전략을 시행하기 위해서 업무 협조를 구해야 다른 부서의 직원들도 '내부 고객'이다. 심지어는 회사 경영진도 내부 고객이 될 수 있다.

그리고 이렇게 실행계획을 제대로 평가하기 위해서는 '고객 중심의 결과 평가'와 '평가 포인트의 설정' 그리고 '지표의 설정'이 필요하다. 앞서 사례로 들었던 온라인 유통 채널의 활성화라는 핵심 전략 과제를 실행하던 식품회사가 작성했던 평가 지표를 사례로 들었으니 참고하기 바란다.

위 도표에서 중요한 위치를 차지하고 있는 '평가 포인트'는 고객의 관점에서 평가가 우수한가 혹은 미흡한가를 구분하는 기준을 말한다. 이를테면 잠재고객에게 행한 콜드콜을 통해서 당사 제품에 대한 고객들의 정보 수준이 높아졌는지, 호감을 느끼게 됐는지, 혹은 고객방문을 통해서 그 고객이 향후 당사 매장을 방문할 의사가 생겼는지 등을 중점적으로 파악해야 한다는 뜻이다. 실행계획을 평가함에서도 고객이 그것을 어떻게 받아들이는지, 즉 고객에게 어떠한 가치를 전달할 수 있었는지가 가장 중요한 판단의 포인트가 된다는 것을 새삼 발견할 수 있다.

훌륭한 가치제안이 훌륭한 전략이다

『손자병법』의 「지형」 편에 이런 이야기가 나온다고 한다.

"싸움이 일어날 지형은 승리를 얻기 위한 유력한 보조 조건일 뿐이다. 중요한 것은 적의 움직임을 알고 지형이 험하고 고른지 그리고 멀고 가까운지를 비교하고 검토하면서 계책을 마련하는 것이다. 적과 아군의 전략을 충분히 파악하고 있더라도 지형이 나쁘다는 것을 모른다면 승패의 확률은 반반이다."

나는 틈날 때마다 '전략'에 대한 기존의 생각을 원점에서부터 다시 출발시켜야 한다고 주장한다. 예전에 듣고 배워서 알고 있던 전략과 현재 우리가 처한 경영 환경에서 승리할 수 있도록 하는 전략

훌륭한 가치제안의 4가지 특징

1. 끊임없이 고객의 불만을 청취하고, 이를 중심으로 **가치제안 개선활동**이 일어난다
2. 기능적 활동만이 아니고 **정서적·사회적·개인적인 활동**까지 해결해 준다
3. 고객이 기꺼이 지갑을 열 만한 우리회사만의 **차별적 요소·요인·특성**을 정확히 말할 수 있다
4. 적어도 한 가지 측면에서는 **경쟁 제품을 크게 앞지르며** 모방하기 어렵다

의 개념이 완전히 다르기 때문이다. 현재는 경영 환경 자체가 시계제로의 상황으로 과거처럼 기업들이 고객들의 줄을 세워가며 제품을 판매하던 좋은 시절은 이미 사라졌기 때문이다. 고객을 만족시키지 못하는 제품과 서비스는 이제 시장에서 생존할 수 없다. 시장의 주도권이 완벽하게 고객에게로 넘어간 것이다. 그렇기 때문에 이제 '전략'은 철저하게 고객의 시각에서 재구성되어야만 한다.

그래서 나는 '전략이란 결국 고객에게 무엇을 줄 것인가에 대한 끊임없는 고민'이라고 주장하고 싶다. 한마디로 표현하면 '가치제안'이다. 시장의 주도권이 고객에게 있다. 따라서 고객이 만족하면 그게 좋은 전략이다. '가치제안'을 좀 더 구체적으로 설명하면 '고객이 우리 제품과 서비스에 대해 기대하고 요구하는 것들을 요약 정리한 것'이다. 중요한 사람이 원하는 것을 주지 않을 강심장은 없지 않은가 말이다. 그렇다면 이제 훌륭한 전략이라는 것은 곧 훌

륭한 가치제안이라고 할 수 있다.

그렇다면 어떻게 해야 고객이 이끌리는 훌륭한 가치제안을 만들 수 있는가. 그건 쉽게 말해 '우리가 할 수 있는 것'을 '고객이 원하는 것'으로 바꿔주면 된다. 고객의 관점에서 가치를 재구성함으로써 말이다. 가치제안을 만들기 위한 구체적인 방법론으로 들어가면 '가치 맵'이라는 개념이 등장하는데 이 가치 맵에는 세 가지 중요한 요소가 포함되어 있다. 바로 '제품과 서비스' '혜택창출 방안' '불만해소 방안'이다. 쉽게 말해 '가치 맵'이란 우리가 시장에 선보이는 제품과 서비스가 고객들에게 어떤 혜택을 주고 있고 또 어떤 불만을 받고 있는지를 그림으로 표시한 것을 말한다.

다음 그림 왼쪽에 있는 가치 맵을 보면 고객들이 느끼는 가치를 어떻게 높일 수 있는지를 짐작할 수 있다. 우리의 제품과 서비스가 이미 제공하는 혜택은 더욱 키우고 이에 대한 불만을 해결할 방안을 고민하라는 뜻이다. 그리고 오른쪽의 '고객 프로필'은 아마도 눈에 익을 것이다. 바로 앞서 등장했던 '다섯 개의 눈' 중 '퓨처스 휠'에서 설명했던 개념이다. 현재의 트렌드가 소비자에게 미치게 될 영향을 분석하는 도구인 퓨처스 휠은 전략 수립의 시각을 당사에서 고객에게로 바꾸어야 한다고 설명할 때 등장했다. 우리가 무엇을 시장에 내놓을 수 있는지가 아니라 고객들이 당사의 제품과 서비스에 대해 가진 '활동'과 '혜택' 그리고 '불만'을 정확하게 파악함으로써 경쟁에서 승리할 수 있는 환경으로 바뀌는 것이다.

가치 맵의 작성 포인트는 결국 우리의 제품과 서비스가 소비자

고객의 입장 가치 파악

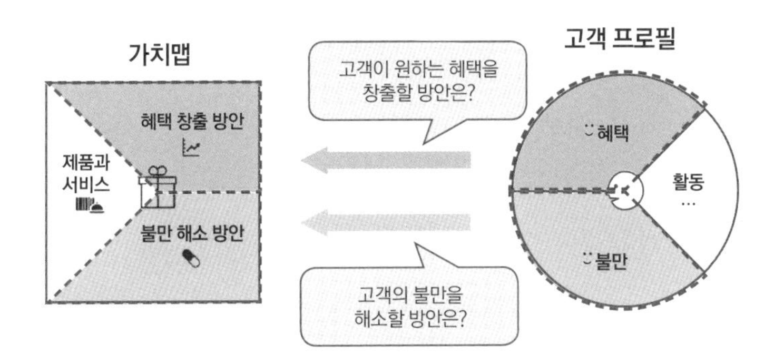

의 활동 중 어떤 부분에서 혜택을 만들어내고 있으며 그들이 느끼고 있는 불만은 어떻게 해소할 수 있는지를 중점적으로 고려해야 한다는 것이다. 그렇게 해야만 고객들이 느끼는 가치를 극대화시킬 수 있다. 이것이 현재의 경영 환경에서 요구되는 전략의 핵심요소이다.

전략 수립이 아니라 실행이 중요하다

내가 관여한 바 있는 한 인터넷 서비스 회사의 사례를 통해 가치제안을 어떻게 설계하는지에 대해 살펴보겠다. 인터넷 서비스를 제공하고 있던 A 기업은 대중교통 이용자를 타깃으로 하는 '카셰어링 서비스'를 하며 좋은 반응을 얻고 있었다. A 기업은 이런저런 이유로 자가용이 필요하기는 직접 사서 끌고 다니는 것은 부담스러운 사람들이 적지 않다는 사실을 발견했다. A 기업은 이 부분을 파고들면 가능성이 있겠다는 판단으로 서비스를 시작하게 됐다.

A 기업은 대중교통 이용자들이 느끼고 있는 불만 사항에 주목, 이러한 불만을 효과적으로 해소시키기로 했고 어떻게 하면 그러한 서비스가 잠재고객들에게 더욱 큰 가치로 다가갈 수 있는지를 알기 위해서 '가치 맵'을 필요로 했다. 대중교통 이용자들의 불만은 자신들이 교통 서비스를 이용하고자 할 때 정작 그것을 이용하기가 어렵다는 것이었다. 장소를 이동하려고 할 때, 출퇴근을 할 때, 혹은 여행을 하려고 할 때 자가용이 없으면 불편을 느꼈다. 특히 대중교통이 가장 필요한 늦은 저녁 시간 버스, 전철의 운행이 끊기고 택시는 잡기가 어렵다는 현실에 가장 큰 불만을 느끼고 있었다.

그렇다고 자가용을 끌고 다니자니 그것도 마땅한 방법은 아니었다. 차를 사기에는 목돈이 필요하기도 하고 주차할 공간을 찾는 것도 현실적으로 큰 고민거리이다. 또한 기름값이나 보험료 등도 부담이었다. 고객 프로파일링을 통해서 이러한 상황을 알아낸 A 기업은 이것을 바탕으로 '카셰어링 서비스'가 등장한다고 가정하면 고객이 어떤 부분에서 큰 만족을 느낄 수 있고 어떤 부분에서 불만을 느낄 것인가에 대해서 '가치 맵'을 작성하게 됐다. 다음 두 개의 그림이 A 기업이 작성했던 고객 프로파일링과 가치 맵의 사례이다.

그다음 단계로 필요한 것이 바로 이 두 가지 사안이 얼마나 적합한가를 파악하는 것이다. 고객 프로파일링을 통해 서비스를 만들

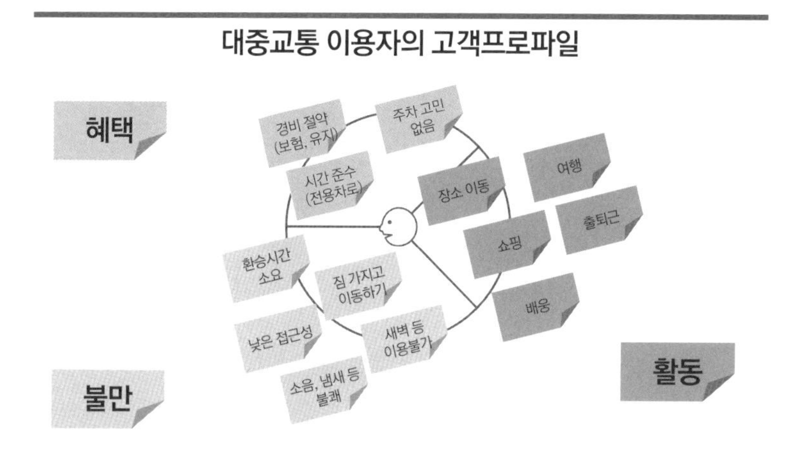

대중교통 이용자의 고객프로파일

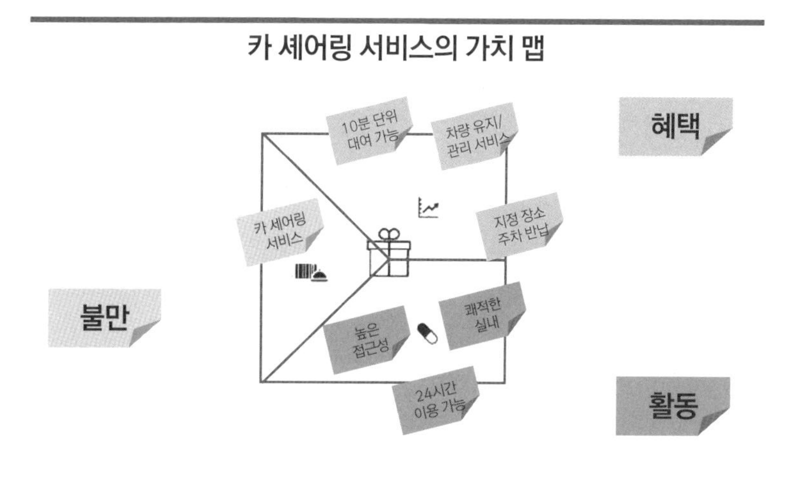

카 셰어링 서비스의 가치 맵

계획을 갖게 됐고, 가치 맵을 통해 계획한 서비스가 고객들에게 어떤 가치를 주고 불만을 해결시킬 수 있는지를 미리 알아보았다. 실제로 현실에서 이 서비스가 얼마만큼 기대했던 결과를 낳을 수 있는지도 어느 정도 예측이 가능해지기 때문이다.

사람들이 찾기 쉬운 곳에서 서비스를 이용할 수 있고 24시간 아무 때나 이용하는 것도 가능하다. 또 기존 렌터카처럼 최소한 반나절, 하루 이상 서비스를 이용할 필요도 없이 10분 단위로 이용할 수 있다면 만족도가 높아질 것이라고 가치 맵을 통해서 예측할 수 있었다. 하지만 과연 이러한 예측이 현실로 나타날 것인지에 대해서는 일정 수준 이상의 사전 확인과정이 필요하다.

그렇기 때문에 제공하려고 하는 상품과 서비스가 고객에게 얼마나 적합한지에 대해서 다음과 같은 질문을 해봐야만 한다. 첫째, 우리의 상품 혹은 서비스가 고객이 가장 중요하게 생각하지만 충족되지 못하는 활동에 주목하고 있는가? 둘째, 실현되지 않은 혜택에도 집중하고 있는가? 셋째, 해결되지 않은 불만에도 집중하고 있는가? 이렇게 제품과 서비스가 고객의 기대에 얼마나 적합한가에 대한 질문을 해본 끝에 가치제안이 구체적인 모습을 드러내게 된다. A 기업의 가치제안은 이런 과정을 통해서 다음처럼 작성됐다.

"우리의 카셰어링 서비스는 단거리를 편리하게 이동하고자 하는 고객의 대중교통 이용 시의 불편함을 해결하고 경제적 이점(차량보유 및 유지비 절감 등)을 제공한다."

이렇게 작성한 가치제안서는 결국 2011년 운행차량 110대에 매출 6억 원의 규모에서 5년 만인 2015년 8,000대의 차량과 1,000억 원의 매출이라는 놀라운 성장을 기록하게 됐다. 전략에 대한 고정관념을 과감하게 버리고 고객이 요구하는 가치를 충족시켜줄 수 있는 '가치제안'을 새로운 전략으로 받아들인 결과이다. 현재와 같은 급변하는 경영 환경에서 전략이 얼마나 큰 효과를 낼 수 있는지를 잘 보여준다.

이제 우리 회사를 성장시키고 미래를 책임질 '전략'에 대한 생각까지도 과감하게 바꾸어야 할 필요가 있다. 하루가 멀다고 산업의 챔피언이 뒤바뀌고 난데없는 경쟁자가 튀어나와서 시장을 혼란에 빠뜨리는 일이 비일비재하다. 그런 요즘의 경영 환경에서 전략의 가치는 수립하는 것이 아니라 실행하는 과정에서 나타난다는 사실을 깊이 명심해야 한다.

전략의 가치는 실천할 때만 빛이 난다

3S 전략의 결과물로 핵심 전략 과제를 선정한다. 그 핵심 전략 과제가 실행될 수 있도록 미진한 역량을 보충할 실행계획을 마련한다. 그다음 진행된 결과에 대해 공정하고 합리적인 기준에 의한 평가를 마치면 한 사이클의 업무가 일단락되는 셈이다. 그런데 이러한 과정 이외에도 CEO들이 반드시 챙겨야 하는 것들은 더 있다. 그것이 바로 '4대 전략 평가지표'라는 것이다.

전략을 수립하기 위한 준비과정과 전략을 도출해내고 실시하고 부족한 점들을 보완하고 평가하기까지의 모든 과정은 상당한 자원의 소모를 가져오게 된다. 이 전체 사이클과 그것에 투입된 자원을

tip! **CEO가 반드시 챙겨야 할 4대 전략평가지표**

재무성과 지표
- 수익 성장률
- 순이익
- 순이익률
- 매출총이익률
- 영업이익률
- 투자자본수익률
- 현금전환주기

고객 지표
- 순수추천고객지수
- 고객수익성지수
- 고객유지비율
- 전환율
- 상대적 시장 점유율

내부프로세스 지표
- 설비가동률
- 프로젝트 일정 준수율
- 프로젝트 원가치액
- 성과가치지표
- 주문충족주기
- 배송 정확도
- 품질지수
- 프로세스 정지 수준

임지원 지표
- 직원지지점수
- 구성원 몰입도
- 무단결근
- 인적자원부가가치창출
- 360도 피드백 점수

생각할 때 최대의 효과를 낳을 수 있도록 반드시 챙겨야 하는 CEO만의 평가 지표가 있다. 바로 '재무적 성과' '고객 만족' '업무 프로세스' 그리고 조직의 '학습과 성장'이다. 이 네 가지 구체적인 평가 지표는 위 그림을 참조하기 바란다. 이에 대해 혹시라도 궁금한 점이 있는 독자들께서는 언제든지 나의 SNS 채널을 통해 연락 주시면 성의껏 최대한의 도움을 드리도록 하겠다.

아무튼 경영자들는 무엇보다 전략의 가치는 그것을 수립하는 것이 아니라 실천에 있다는 사실을 잊지 않기를 바란다. 이제 우리가 직면하고 있는 경영 현실은 고객에게 어떤 가치를 전달할 수 있느냐에 따라서 그 성패가 갈라진다는 뜻이다. 고객이 느끼는 가치가 우리의 미래를 결정할 것이다. CEO는 솔선수범하는 조직의 리더이지만 한편으로는 냉정한 전략가이기도 하다. 조직이 무기력감과 절망감에 빠져 있다면 활기를 불어넣어야 한다. 그것이 바로 CEO의 임무이고 역할이다.

또한 승리에 도취되어 조직원들이 팽팽한 긴장감을 잃지 않도록 하는 것도 역시 경영자의 몫이다. CEO는 단지 멋진 척하기 위해서 존재하는 사람이 아니라는 사실을 잊지 않길 바란다. 경영자가 가죽의자에 기대앉는 시간이 많아질수록 회사는 위태로워질 것이다. 끊임없이 냉철함을 유지하고 과감하게 실행하고 재빠르게 수정한다. 또 실행하고 수정하면서 한 발 한 발 앞으로 나아가야만 한다.

전해드리고 싶은 내용과 함께 나누고 싶은 것이 너무나 많다. 하지만 역량의 부족함을 절감하며, 웨스트포인트에서 가르치는 '전쟁의 법칙' 중 하나를 소개하는 것으로 이 책은 일단 여기서 매듭을 지을까 한다.

"작전 계획이란 건 전투 개시 후 몇 초 이상 가는 법이 없다."

부록

전략 수립 프로세스

파트. 1	파트. 1	파트. 1
정보 수집	전략 수립	전략 실행
외부 환경 분석	프레임워크 활용한 전략 수립	가치제안
내부 환경 분석	핵심 전략 과제 도출	핵심역량
		자원관리

환경 분석을 위한 다섯 개의 눈

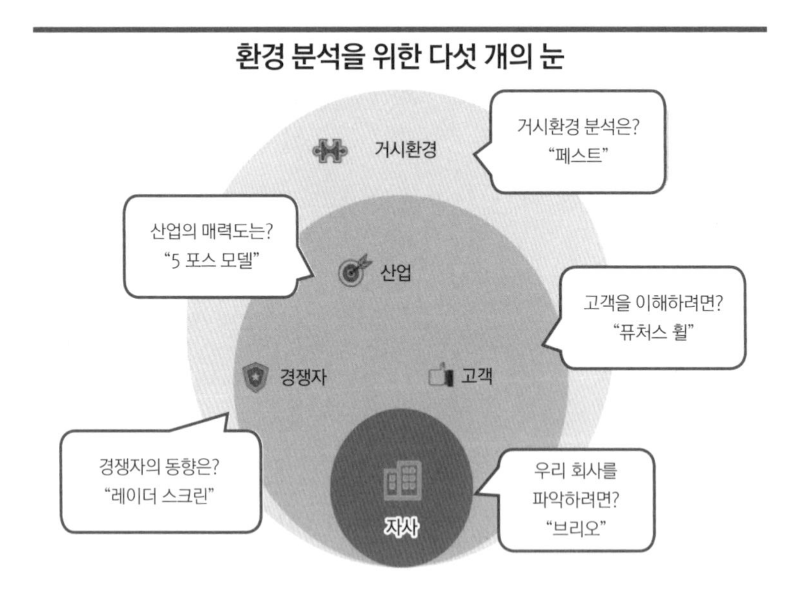

거시환경 관련 자료 사이트 모음
일반 통계 분야
국가 통계포털
- 높은 신뢰성의 국내외 통계 데이터
정보통신 분야
랭키닷컴
- 웹사이트 분석, 평가
- 자사, 경쟁사 웹사이트 순위 파악
마케팅/SNS 분야
TVCF
- 모든 광고 크리에이티브 제공
- 광고 흐름 및 동향 파악
경제/경영 분야
블로터앤 미디어
- IT 전문 뉴스 블로그
- 비즈니스, 테크놀러지, 정책 기사
한국갤럽조사연구소
- 여론조사 기관, 다양한 트렌드, 마케팅, 시장분석 리포트
한국정보화진흥원
- 국가 연구 및 정보화 정책, 미래전략, ICT 동향 분석제공
소셜매트릭스
- 소셜공간의 트렌드, 여론 파악
- 회사 및 제품의 여론 파악
ㅍㅍㅅㅅ
- 인터넷 잡지(큐레이션 매거진)
- 각 분야 전문가 60여 명이 편집, 큐레이션

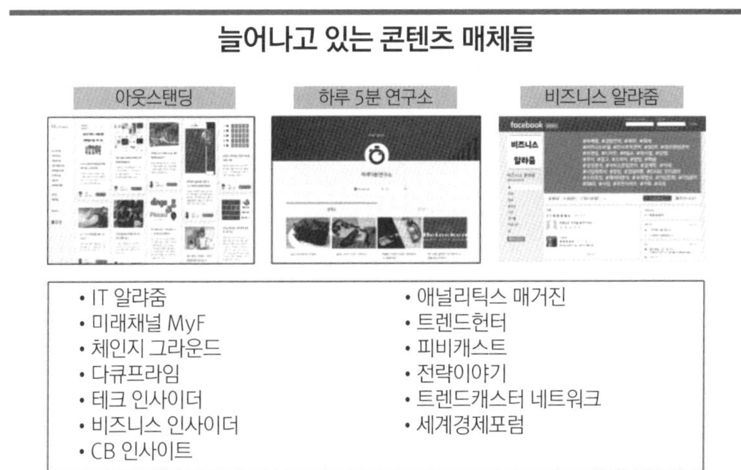

늘어나고 있는 콘텐츠 매체들
아웃스탠딩
하루 5분 연구소
비즈니스 알라줌
• IT 알라줌
• 미래채널 MyF
• 체인지 그라운드
• 다큐프라임
• 테크 인사이더
• 비즈니스 인사이더
• CB 인사이트
• 애널리틱스 매거진
• 트렌드헌터
• 피비캐스트
• 전략이야기
• 트렌드캐스터 네트워크
• 세계경제포럼

Political 정치 경제	Economical 경제	Social 사회 문화	Technological 기술

식음료업계 A사의 페스트 분석

P: 정치적

- 정부 24개 핵심개혁과제 '농수산업의 미래성장산업화'
  → 농수산업에 ICT등 첨단과학기술을 융합해 부가가치를 창출하고, 글로벌 경쟁력 강화로 수출 산업으로 육성
- 중소기업적합업종 품목확대 의견 공감대 형성
  → 법제화→ 2015/3월 다류는 지정업종 → 상생협약으로 전환
- 식품위생 및 안전에 대한 정부 정책 강화
- 식품 과대광고 규제 및 감시 강화
- 식품규제강화(불량식품제거)
- 한중FTA 체결 (2015/12/20 공식발표)
  → 한국은 전체 92.2%인 1만 1,272개 제품 관세 폐지
- 중국 정부의 '한 가정 한 자녀 정책' 폐지로 중국내 소비시장이 매년 15%씩 가파른 성장세를 보일 것이란 전망임
- 북핵 문제로 사드 배치 및 중국과의 긴장 발생 → 중국 내 수출 부정적인 영향
- 공공요금(전기,수도,가스)인상

E: 경제적

- 세계경제 전망은 전체적으로 부정적(저성장 기조)
- 아세안(동남아시아국가연합)은 성장할 것이라 예상(신흥투자국가로 분류)
- 低성장에 따른 고용불안, 가계 빚 증가, 고령화, 소득 양극화
  → 디플레이션 심화
- 경제지표 하락전망 → 생산/투자 감소 → 소비절벽의 현실화
- 소비심리 위축과 소비 양극화 증가 → 대형마트 PB 제품의 확대
- 최저임금의 상승 → 제조/구매 등 단가의 상승 → 기업 경영 부담
- 저성장 지속,물가 오름세
- 농산물 가격상승
- 제로금리
- 유가 및 원/달러 환율 변동성
- 온라인 시장 고성장
- 해외직구 소비활동의 대중화 추세 → 국내 소비 위축

S: 사회적

- 고령화 및 1인 가구 확대 → 의식주 패턴의 변화
- 출산율 저하→'골든키즈',실버산업 및 1인 가구시장 고성장
- 식품업계의 명품족 증가
- 건강식 추구 → 힐링(Healing)등의 마음의 치유로 확대
- 공정,정의(평등)에 대한 개념확산
- 환경(순환), 후손, 셰어 개념확산
- DIY, 자가제조(수제)
- 간편식의 증대
- 해외직구 소비자 증대
- 외국인근로자 노동시장 확대 → 한국의 문화가 다양화
- 빈익부 부익부 현상 → 슈퍼 소비자(중국)의 등장

T: 기술적

- ICT 산업기술의 발달 → 차세대 융합기술로 각광
- 사물 인터넷의 기술 발달
- 핸드폰 결제 플랫폼(페이)의 확장
- 앱시장/ 게임시장기술의 발전 : 핸드폰 게임증가, 필요 앱의 개발
- 앱기반 소비시장 활성화 → 고유한 소비채널의 등장(배달의 민족 등)
- 개인 정보 및 보안에 대한 기술의 발달
- 드론, 전기자동차의 발전 기대
- 경쟁사 공격적 투자활동 예상
- 건강 지향 라인업 시도
- 설탕 대체 감미료시장 급성장
- 푸드테크 발달 및 이슈화 : 짬뽕라면

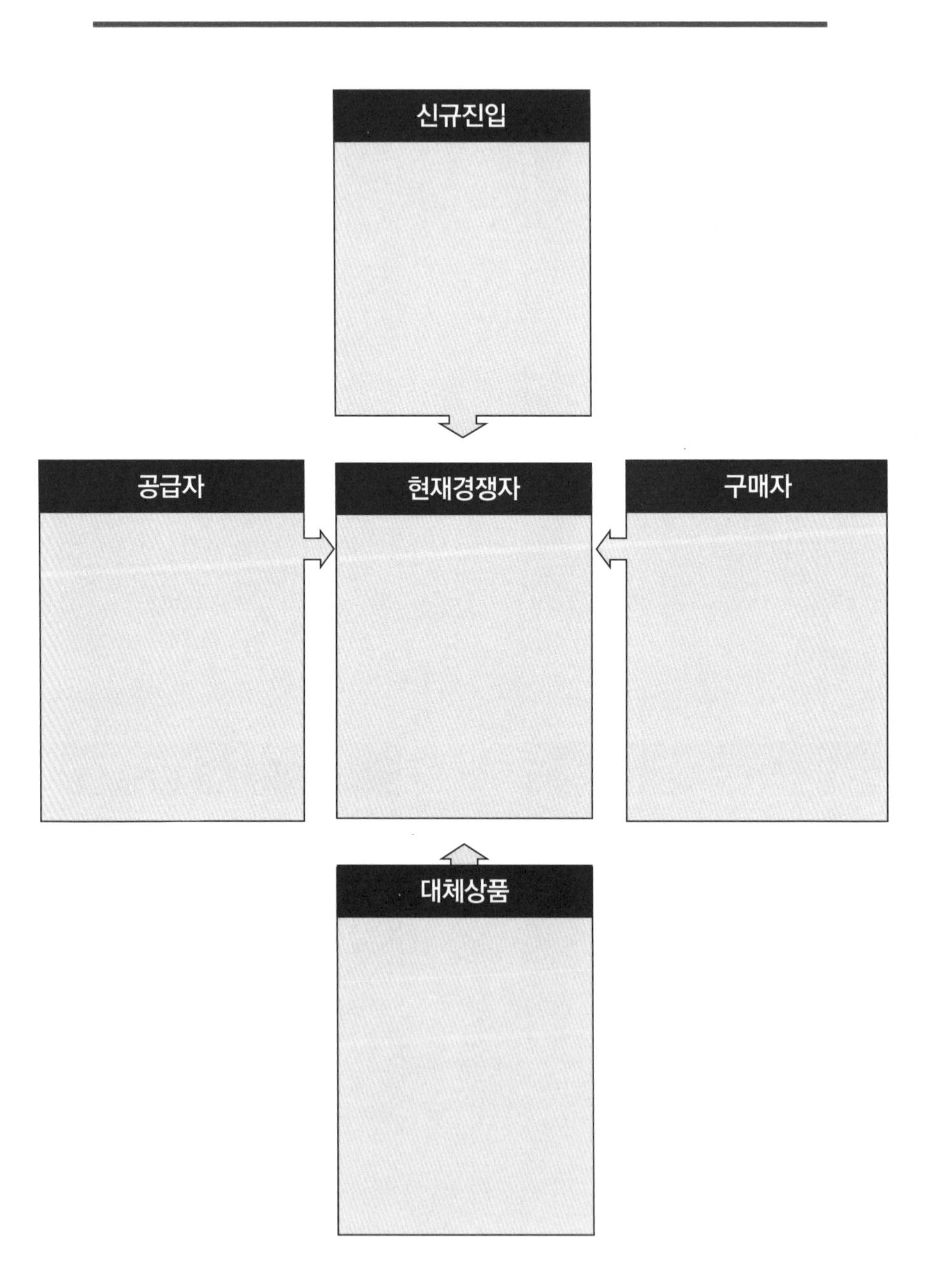
신규진입
공급자
현재경쟁자
구매자
대체상품

식음료업계 A사의 5 포스 모델 분석

신규진입

- 낮은 진입 장벽
  - 적은 초기투자금액으로 새로운 기업 진입 용이
- FC 브랜드
- 고급 베이커리
- 대형할인점 직소싱 및 자체 PB 브랜드 (유통&제조)
- 수제(개인 샵) 확산
- 특정 원료의 원가우위는 다소 있음(구매경쟁력)
- 브랜드 로열티

공급자

- 원물가공업체
  - 생물(변동폭 큼 : 기후, 시기 등 공급자 수 제한)
  - 부원료
- 패키지 (유리병,캡,레이블,카톤) 공급업체
- 안정적인 공급시스템 구축(계약재배 등)
- 공급자와 안정적 친밀감
- 공급규모의 유연성 가능
- 국내농가 등 긴밀한 파트너쉽 관계형성 & 동반저작 관계강조
- 지속적인 품질관리

현재경쟁자

- 3강 체제의 시장구조
- 수입업체
- 대형마트 전략적 PB브랜드
- 수제/소량 맞춤형 기업 및 개인이 등장
- 시장 성숙기에 따른 경쟁치열
- 잠재경쟁업체의 공격적인 저가 전략 마케팅을 통한 가파른 성장
- 경쟁사 간의 치킨 게임
- 성장률 한계

구매자

- 기호식품에 해당하며, 다양한 대체상품 존재
- 대체제로 인한 고객 선택폭 증가
- 기호식품에 따른 상품중요도 하락
- 충성고객의 이탈 심화
- 대형 유통채널 구매력 強
- BtoC
  - 오프라인 : 할인점, 백화점, CVS, D/S..
  - 온라인 : 오픈마켓
- BtoB
- 사회적 기업 이미지가 알려져 있음

대체상품

- 단맛 Base 스프레드 제형(초코S, 땅콩버터, 케첩, 꿀…)
- 크림치즈 스프레드, 시럽, 슈가파우더 등
- 스페드류, 시럽류, 케찹류, 소스류
- 과실차 외의 다양한 음료제품
- 서구식 대체제의 다양화
- 제과제빵 기술발달로 스프레드류가 필요없이 빵 섭취 가능
- PB상품 증가
- 대체스프레드시장의 증가
- DIY 시장의 증가

2017 한국이 열광할 12가지 트렌드 (출처: 코트라)

퓨처 푸드 Future Food	새로운 안식처 New shelter	데일리 디톡스 Daily Detox	옴니프레즌스 Omnipresence
‘편견을 뛰어넘은 먹거리’	‘이 땅을 떠나는 사람들’ 	- 여론조사 기관, 다양한 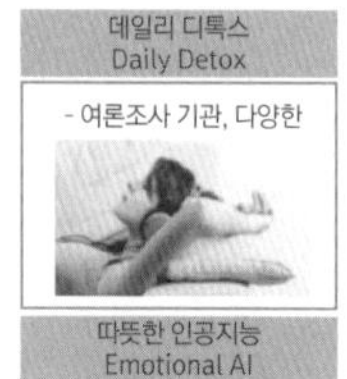	‘언제, 어디서나, 즉시’ 
에코 크리에이터 **Eco Creator**	**호모 루덴스** **Homo Ludens**	**따뜻한 인공지능** **Emotional AI**	**맞춤형 휴가** **Tailor-made Vacation**
‘창조적인 친환경 비즈니스’	‘특별한 놀이를 꿈꾸다’	‘인간을 위한 로봇’ 	‘판에 박힌 휴가는 거부한다’ 
이터테인먼트 **Eatertainment**	**펫밀리** **Petmily**	**온리 미** **Only me**	**구루 마케팅** **Guru Marketing**
‘식사 그 이상’ 	‘새로운 가족의 탄생’ 	‘오직 나를 위한 삶’ 	‘믿음으로 지갑을 열다’ 

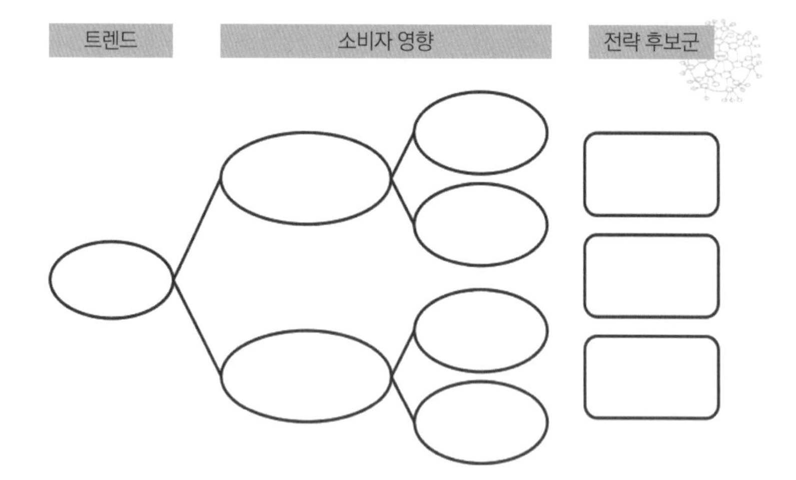

건설업계의 퓨처스 휠 분석

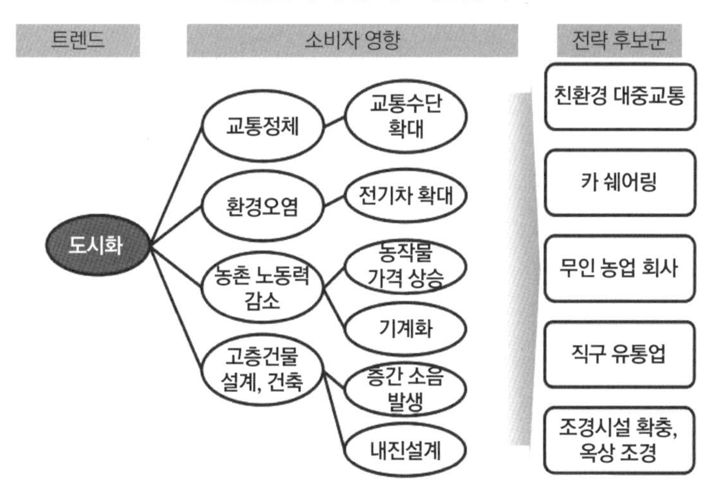

고객에게 제공하는 가치는?

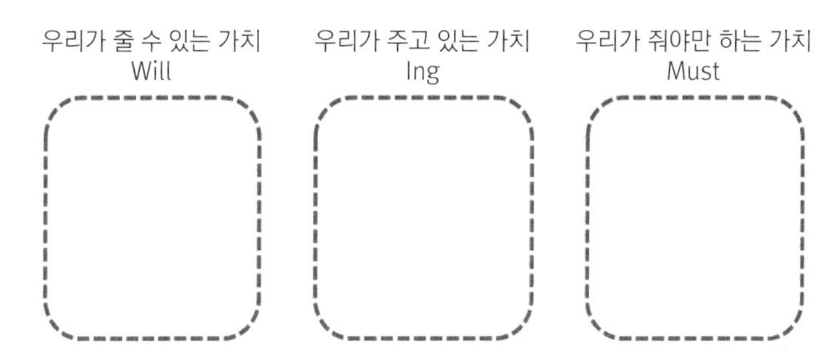

제공가치 별로 경쟁자를 분류해보세요

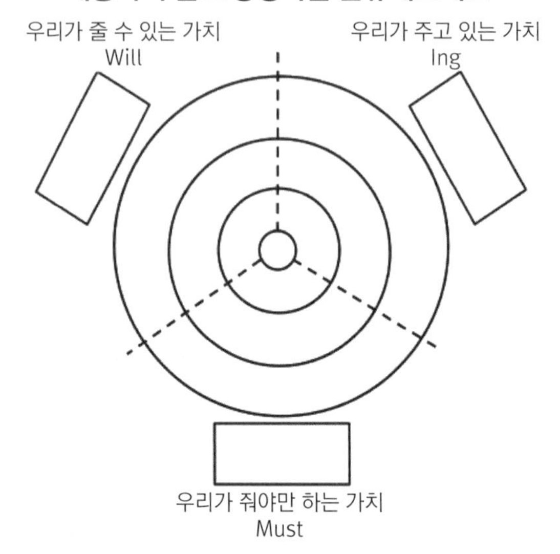

보일러업계 A사의 레이저 스크린 분석

약 중 강

역량	Valuable 고객에게 가치를 줄 수 있는가?	Rare 우리만 독자적으로 가지고 있는 것인가?	Inimitable 아무나 외부에서 사올 수 없는 것인가?	Organizationally Specific 우리 조직이 이 역량에 맞게 특화돼 있는가?	종합

식음료업계 A사의 브리오분석

역량	Valuable 고객에게 가치를 줄 수 있는가?	Rare 우리만 독자적으로 가지고 있는 것인가?	Inimitable 아무나 외부에서 사올 수 없는 것인가?	Organizationally Specific 우리 조직이 이 역량에 맞게 특화돼 있는가?	종합
브랜드 가치 (기업 이미지)	강	강	강	강	강
구매 경쟁력	약	중	강	강	강
제품의 품질 우수성	강	강	강	강	(강)중
안정적 원료확보	강	중	중	중	중
고객 충성도	강	중	약	강	중
R&D (개발 노하우) 개발	중	중	중	중	중
연구개발력	강	약	약	중	중
생산 및 원가경쟁력 (구매)	중	약	약	중	중약
영업채널의 효율성	약	약	약	약	약
영업 활동 인프라 (조직)	약	약	약	중	약
고객관리 시스템의 우수성	약	약	중	약	약
품질 관리력	약	약	약	약	약

외부환경 / 내부환경	기회	위기
강점		
약점		

기회	위기
• 추가적인 소비자 집단이나 새로운 시장의 존재 • 다양한 고객 니즈 충족을 위한 제품라인 확장 가능성 • 신제품/비즈니스 스킬이나 기술적 노하우 이전 가능성 • 수직적 통합의 가능성 • 주요 해외시장에서의 낮아진 무역 장벽 • 시장 수요의 대폭 증대 • 신 기술의 부상	• 저원가 기반의 해외 경쟁자 진입 • 대체재의 판매 증대 • 시장 성장률 저하 • 환율 및 주요국 무역 정책의 부정적인 방향으로의 변동 • 비용을 증가시키는 규제 강화 • 경기 침체 • 고객 및 공급업체의 협상력 증대 • 고객 기호 및 취향 변화 • 인구통계학적 지표의 악화
강점	**약점**
• 주요 영역에서의 핵심역량 • 충분한 재무 자원 • 고객 인지도 • 잘 인지된 시장 지배적 지위 • 규모의 경제 • 시장 보호막 • 차별화된 기술 • 원가 우위 • 우월한 광고 캠페인 • 제품 혁신 스킬 • 검증된 경영진 • 경험곡선 효과 • 제조역량의 우월성 • 기술역량의 우월성	• 불분명한 전략 방향 • 노후화된 설비 • 평균 이하의 수익성 구조 • 자질 있는 경영 자원의 부족 • 핵심 역량의 부재 • 전략 실행 역량 부족 • 내부 운영 시스템의 문제 • 연구 개발 역량 취약 • 제품 라인의 취약성 • 취약한 시장 이미지 • 취약한 유통망 • 취약한 마케팅 스킬 • 새로운 전략 수행을 위한 자금 조달력 • 높은 단위당 코스트

No.	체크리스트	YES	No	비 고
	기 회			
1	추가적인 소비자 집단이나 새로운 시장의 존재			
2	다양한 고객 니즈 충족을 위한 제품라인 확장 가능성			
3	신제품/비즈니스으로 스킬이나 기술적 노하우 이전 가능성			
4	수직적 통합의 가능성			
5	주요 해외시장에서의 낮아진 무역장벽			
6	시장 수요의 대폭 증대			
7	신 기술의 부상			
	위 기			
1	저원가 기반의 해외 경쟁자 진입			
2	대체재의 판매 증대			
3	시장 성장률 저하			
4	환율 및 주요국 무역 정책의 부정적인 방향으로의 변동			
5	비용을 증가시키는 규제 강화			
6	경기 침체			
7	고객 및 공급업체의 협상력 증대			
8	고객 기호 및 취향 변화			
9	인구통계학적 지표의 악화			

No.	체크리스트	YES	No	비 고
	강 점			
1	주요 영역에서의 핵심역량			
2	충분한 재무 자원			
3	고객 인지도			
4	잘 인지된 시장 지배적 지위			
5	규모의 경제			
6	시장 보호막			
7	차별화된 기술			
8	원가 우위			
9	우월한 광고 캠페인			
10	제품 혁신 스킬			
11	검증된 경영진			
12	경험곡선 효과			
13	제조역량의 우월성			
14	기술역량의 우월성			

No.	체크리스트	YES	No	비 고
	약 점			
1	불분명한 전략 방향			
2	진부화된 설비			
3	평균 이하의 수익성 구조			
4	자질 있는 경영 자원의 부족			
5	핵심 역량의 부재			
6	전략 실행 역량 부족			
7	내부 운영 시스템의 문제			
8	연구 개발 역량 취약			
9	제품 라인의 취약성			
10	취약한 시장 이미지			
11	취약한 유통망			
12	취약한 마케팅 스킬			
13	새로운 전략 수행을 위한 자금 조달력			
14	높은 단위당 코스트			

강점/기회 핵심 전략 과제 도출

추진과제(해결방안)	추진과제(해결방안)	핵심 전략 과제

강점/위기 핵심 전략 과제 도출

추진과제(해결방안)	추진과제(해결방안)	핵심 전략 과제

약점/기회 핵심 전략 과제 도출

추진과제(해결방안)	추진과제(해결방안)	핵심 전략 과제

약점/위기 핵심 전략 과제 도출

추진과제(해결방안)	추진과제(해결방안)	핵심 전략 과제

스왓 분석을 통한 핵심 전략 설정

		외부 역량	
		위기	기회
		위기-약점(TW)	기회-약점(OW)
내부역량	약점		
	강점	위기-강점(TS)	기회-강점(OS)

핵심 전략 과제 우선 순위 평가

핵심 전략 과제	목표:															우선 순위
	수익창출의 정도					전략적 중요도					공감대 형성 정도					
	1	2	3	4	5	1	2	3	4	5	1	2	3	4	5	
	매우 낮음	낮음	보통	높음	매우 높음	매우 낮음	낮음	보통	높음	매우 높음	매우 낮음	낮음	보통	높음	매우 높음	

가치제안 현황 점검 질문

	3점	3점	3점
1. 당신은 회사의 가치제안에 대해 명확하게 설명할 수 있습니까? 예를 들면 회사가 시장에서 어떻게 가치를 창출해 내고 있는 지, 혹은 어떻게 하면 더 경쟁력을 갖출 수 있는지를 설명할 수 있습니까?	□ 그렇다	□ 잘 모르겠다	□ 그렇지 않다
2. 직원들은 회사의 가치제안에 대해 설명할 수 있습니까?	□ 그렇다	□ 대부분 그렇다	□ 대부분 그렇지 않다
3. 조직의 리더들은 이 가치제안에 대해 조직과 소통하고 있고, 또 그것이 회사의 성공과 연결이 되고 있습니까?	□ 그렇다	□ 대부분 그렇다	□ 대부분 그렇지 않다
4. 리더들이 조직의 전략이나 실행에 대한 선택을 할 때, 가치제안에 기반해 결정을 내립니까?	□ 그렇다	□ 가끔 그렇다	□ 보통 그렇지 않다
5. 회사가 가치제안과 일치하는 프로젝트를 추진하고 있습니까?	□ 반드시 그렇다	□ 종종 그렇다	□ 때로 일치하지 않아도 추진한다
6. 회사가 경쟁상대에 비해 타깃 고객들에게 매력적입니까?	□ 그렇다	□ 종종 그렇다	□ 보통 그렇지 않다
점수환산			

가치맵 만들기

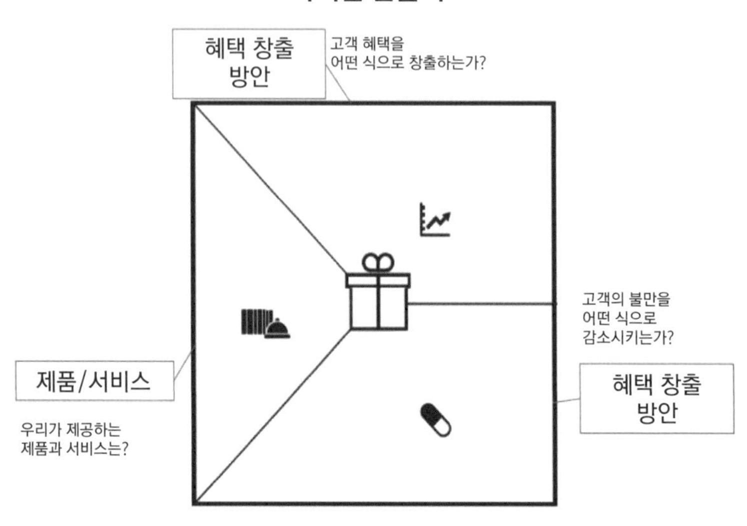

한 문장으로 가치제안 작성해보기

우리의 ______________________ 는

______________________ 을 하고자 하는

고객의 ______________________ 해소/감소를 돕고

______________________ 을 제공한다

______________________ 면에서 경쟁사와 차별된다

실행을 위한 자원관리 점검 질문

	YES	NO
1. 비용 예산의 상당 부분이 차별화된 역량 확보에 투자되고 있는가?		
2. 전략적 투자 가치와 수익성이 낮은 프로젝트, 제품, 부서에 자금을 과도하게 배분하고 있지는 않는가?		
3. 사업전략과 예산수립 프로세스가 잘 연결되어 있는가?		
4. 예산을 전략적으로 분배할 체계나 방법을 가지고 있는가?		
5. 비용절감 노력이 상시 활동으로 정착되어 있는가?		
6. 비용절감이 우선 순위를 미리 설정해두고 있는가?		

전략 4.0

초판 1쇄 인쇄 2017년 11월 10일
초판 1쇄 발행 2017년 11월 15일

지은이 양백
펴낸이 안현주

경영총괄 장치혁 **편집** 이상실
디자인 표지 정태성 본문 장덕종
마케팅영업팀장 안현영

펴낸곳 클라우드나인 **출판등록** 2013년 12월 12일(제2013-101호)
주소 우) 121-898 서울시 마포구 월드컵북로 4길 82(동교동) 신흥빌딩 6층
전화 02-332-8939 **팩스** 02-6008-8938
이메일 c9book@naver.com

값 15,000원
ISBN 979-11-86269-90-9 03320

* 클라우드나인에서는 독자여러분의 원고를 기다리고 있습니다.
출간을 원하는 분은 원고를 bookmuseum@naver.com으로 보내주세요.

* 클라우드나인은 구름 중 가장 높은 구름인 9번 구름을 뜻합니다. 새들이 깃털로 하늘을 나는 것처럼 인간은 깃펜으로 쓴 글자에 의해 천상에 오를 것입니다.